分断された天

HEAVEN IN DISORDER

スラヴォイ・ジジェク社会評論集

岡崎龍 監修・解説
中林敦子 訳

目次

序章

それでもこの状況は「大好」なのか

よく知られた毛沢東の言葉に、「天下大乱、形勢大好（天の下のすべては大いなる無秩序の中にある。この状況は大いに好ましい）」というのがある。毛沢東が言わんとしていたことは、よく分かる。既存の社会秩序が崩壊しつつあるとき、それに続く無秩序状態こそが、革命勢力に断固とした行動をとらせ、政権を握るチャンスを生むからだ。

今、〈天〉の下には、まぎれもなく大いなる無秩序がある。新型コロナウイルスのパンデミック、地球温暖化、新しい冷戦の予兆、世界各国で発生する民衆の抗議行動や社会的対立……などと連ねても、まだ我々を取り巻く危機の一部でしかない。しかし、この混沌は「大好」な状況を生んでいると言えるのだろうか。自滅に至る危険性が高すぎはしないか。

毛沢東が念頭に置いていた状況と我々の現況との違いは、ちょっとした言い回しの違いで表現できる。毛沢東が言うのは「天の下の無秩序」で、そこでは〈天〉、すなわち、何らかの形の〈大文字の他者（the big Other）〉――歴史プロセスの不可避の必然、社会の発展の法則といったもの――が依然として存在し、社会の混沌を暗黙裡に制御している。一方、現在の我々は、〈天〉それ自体を「無秩序の中」にあるものとして考えなければならない。どういう意味か。もう少し説明する。

東ドイツ出身の作家クリスタ・ヴォルフによる著名な小説『引き裂かれた空（*Divided Heaven*）』（一九六三年）。西ドイツを選んだ主人公マンフレートは、恋人リタとの最後の会話のなかで、「でも、国土が分断されたとしても、空は共通だよ」と言う。だが、東ドイツに残ることを選んだリタは、「違うわ。空こそが最初に分断されるのよ」とぴしゃりと言い放つ。この小説は（東側の）弁解めいてはいても、正しく見抜いている。我々の「地上の」分断と争いは、突き詰めれば常に、「分断された〈天〉」、すなわち、我々が暮らす（象徴としての）宇宙それ自体の、はるかに根本的で排他的な分断に根差しているということを。

そして、この「分断された〈天〉」を担い、その道具となっているのが〈言語〉、我々が現実をいかに経験するかを支えている媒体としての〈言語〉だ。幼稚な自己中心的な利益などではなく、〈言語〉こそが、最初かつ最大の分断の本体なのである。同じ通り沿いに暮らしている隣人でも、「違う世界に生きる」（ことができる）のは、〈言語〉ゆえである。

現在の状況は、二つの世界観が全世界を巻き込んで対峙しあった冷戦期のような、〈天〉が真っ二つに分断された状況ではない。むしろ、現在の「〈天〉の分断」は、一つの国の内部でどんどん広がり続けているように見える。たとえばアメリカでは、オルタナ右翼とリベラル民主主義エスタブリッシュメントの間で、イデオロギー的・政治的な内戦が起きている。イギリスにも、EU離脱の賛成派と反対派の対立で明らかになったとおり、深い分断がある。加えて、パンデミックにより物理的な公共スペースの閉鎖が長引くのを反映して、共通基盤が築かれるスペースは縮小の一途だ。もつれあう複数の危機に面して、世界の団結と国際協力がかつてなく必要とされる時なのに、今、それが起きてしまっている。

ここ数カ月は、継続していた社会・政治・環境・経済の危機が、新型コロナパンデミックの危機と絡み合うという警戒すべき事態が、ますます顕著だ。我々はパンデミックと同時に、地球温暖化や噴出する階級対立、家父長制度や女性蔑視、そのほか複雑な相互作用で共鳴しあう数多くの危機に対応しなければならない。この相互作用は、制御不可能で危険に満ちている。「はっきりした解決策が見えている」などというおめでたい保証も、まったく当てにできない。

こうした危険極まる状況が、我々の時代をきわめて政治的なものにしているのだ。状況は明らかに「大いに好ましく」なんかない。だから、人は行動を起こさなければならないのである。

では、何をすべきなのか。レーニンが求めた「具体的な状況の具体的な分析」。これが、かつてないほど今、現実味を帯びている。答えを導き出すシンプルな普遍的公式などはない。だが、適度に進歩的な対策に実効性のある支援をすべき局面はある。急進的な対立が唯一の道となる局面もある。そして、千の言葉よりも、ハッとするような沈黙（と、かわいらしい手編みのミトン）が雄弁な局面もある。

第一章

サウジアラビアへのドローン攻撃は、本当にゲームチャンジャーか

二〇一九年九月、イエメンのフーシ派が、サウジアラビア国営石油会社サウジアラムコの石油精製施設にドローン攻撃を仕掛けたとき、西側のメディアは形勢を一変させる「ゲームチェンジャー」だとして繰り返し報じた。だが、本当にそうなのか。確かに、世間の常識からすれば、世界の石油供給を混乱させ、中東における大規模な武力紛争の可能性を高めたのであるから、まあ、そうとも言える。しかし、この主張に含まれた残酷な皮肉を、我々は見逃してはならない。

イエメンのフーシ派の反乱軍は、すでに何年にもわたってサウジアラビアと交戦しており、サウジ軍（アメリカとイギリスから支援を受けている）は、民間施設への無差別爆撃も含め、事実上、イエメン全土を破壊した。サウジアラビアのイエメン内戦への介入は、数万人の子どもが犠牲になるなど、世界最悪レベルの人道上の壊滅状態に間違いない。それなのに、リビアやシリアの場合と同様、全土の破壊であっても通常の地政学的ゲームの一環でしかなく、ゲームチェンジャーになることはない。

フーシ派のドローン攻撃への非難は非難として、追い詰められ絶望的な状況にあるフーシ

派ができる限りの方法で反撃するのを見て、さて、我々は驚くべきなのか。否。彼らの行動はゲームチェンジャーなどではまったくなく、むしろ理にかなった到達点である。ドナルド・トランプの聞くに堪えない下品な表現を使うなら、彼らはまさにサウジアラビアの痛点、ペニスを引っ掴む方法を見つけたのだ。あるいは、ベルトルト・ブレヒトの『三文オペラ』の有名なセリフ「銀行を襲うことと、銀行を作ることの違いは何なのか」をもじって言えば、国を破壊することと、資本の再生産を少々邪魔することの違いは何なのか。

「ゲームチェンジャー」としてフーシ派の攻撃がメディアの注目を集めたことにより、まんまと、真の「ゲームチェンジャー」であるはずの他の多くの企てから、人々の関心が逸れてしまった。[1] たとえば、ヨルダン川西岸の肥沃な地域をごっそり併合するイスラエルの計画。これは、共存を目指す「二国家解決」に向けた話し合いが、単なる無駄話だったことを意味する。現代の植民地化事業の無慈悲な実現を煙に巻くことこそが目的だったのだ。西岸地区のパレスチナ人を待っているのは、厳格に管理されたホームランド（南アフリカのアパルトヘイト下で設置された黒人居住区）が関の山だろう。また、イスラエルが強行する背景には、サウジアラビアの黙認があることにも注意が必要である。サウジアラビア、イスラエル、エジプト、アラブ首長国連邦から成る、新しい悪の枢軸が中東に生まれようとしているという証拠である。これらの国々こそ、ゲームのルールを変える本当の「ゲームチェンジャー」なのだ！

1. Oliver Holmes, "Netanyahu Vows to Annex Large Parts of the Occupied West Bank," *the Guardian*, September 11, 2019, https://www.theguardian.com/world/2019/sep/10/netanyahu-vows-annex-large-parts-occupied-west-bank-trump

さらにここで分析の範囲を広げるため、香港の抗議活動をめぐっても、ゲームのルールが変っていることに注目したい。欧米のメディアで一般に無視されているのが、階級闘争の側面である。香港の自治を潰そうとする中国のたくらみに対して、抗議活動を継続させている力がこの階級闘争である。そもそも、香港の抗議活動に最初に火が付いたのは貧困地区だ。富裕層が中国の支配のもとで潤っていたところに、新たな声が聞こえてきたのだ。

二〇一九年九月八日、抗議デモが香港の米国領事館に向けて動き出した。CNNの記者は「デモ隊が掲げる旗には、「トランプ大統領、香港を解放してください」と英語で書かれ、アメリカの国家を歌っている人もいます」と報じ、[2]三十歳の銀行員デヴィット・ワンは、「私たちは自由と民主主義という価値観をアメリカと共有しています」と語った。香港の抗議活動を真摯に分析するのであれば、真のゲームチェンジャーとなる可能性のあった社会的抗議が、全体主義的な統治に対する民主主義の抵抗という普通の物語に丸められてしまった経緯に、注意しなければならない。

同じことが中国本土にも言える。中国に残る自由思想の数少ない発信者である北京天則経済研究所が閉鎖を命じられたことを、西側メディアが報じた。中国の指導者・習近平の政権下、公開の議論のスペースが劇的に縮小しているもう一つのサインである。

しかし、これと比べ物にならない抑圧を受けているのが、政治的威嚇や殴打や逮捕の対象になっている中国の左派学生たちだ。皮肉なことに、これら学生たちが、北京周辺の工場で

2. Ben Westcott, Julia Hollingsworth, and Caitlin Hu, “Hong Kong Protesters March to US Consulate to Call for Help From Trump,” CNN, September 9, 2019, https://edition.cnn.com/2019/09/08/asia/hong-kong-us-protests-0809-intl-hnk/index.html

極端な搾取にあっていた労働者たちと結びついたのは、真摯にマルクス主義に回帰したからこそである。特に化学工場での汚染はすさまじく、ほぼ野放しで、国家権力からも無視されており、だから学生らは労働者の組織化と要求作成を支援した。そして、この学生と労働者の結びつきこそが、政権に真の挑戦状を突き付けたのである。他方、習近平の強硬路線と資本主義を擁護するリベラルとの闘争などは、結局は一方的なゲームに過ぎない。それは、権威主義とリベラルという留まることを知らない資本主義的発展の二つのヴァージョンの間にある一般的な緊張を表すものでしかないからだ。

イエメンから中国まで、これらすべての事例において、ゲームの一部でしかない闘争と真の「ゲームチェンジャー」を区別することを、我々は学ばねばならない。そして、真の「ゲームチェンジャー」とは、正常な事態の継続の陰に隠れた不吉な悪化（ヨルダン川西岸地区の大部分を併合しようとするイスラエル）か、何か真に新しいものが出現する希望の兆候かのいずれかである。一般的なリベラルの観点は前者だけに目を奪われて、後者を見逃してしまうことが多いものである。

第二章

クルディスタンを荒廃させたのは誰か

百年以上前、カール・メイは『荒涼としたクルディスタンを行く（*Through Wild Kurdistan*）』というベストセラーを書いた。ドイツ人の主人公カラ・ベン・ネムジのこの地での冒険談である。大いに人気を博したこの本が中央ヨーロッパに植え付けたクルディスタンに対する理解は、粗暴な部族闘争と素朴な誠実さと名誉の土地、迷信と裏切りと永遠に続く残酷な闘争の土地、ほぼ風刺的に野蛮な、ヨーロッパ文明ではない〈Other〉の存在というものである。現在のクルディスタンを見れば、この月並みな表現とのあまりの違いに驚愕するに違いない。私はトルコにいて比較的状況をよく知っていたが、少数民族のクルド人は社会で最も近代的で世俗的な人々であり、あらゆる宗教的原理主義から距離を置き、成熟したフェミニズムを身につけていると感じたものだった。

二〇一九年十月、シリア北部に居住するクルド人を攻撃したトルコに対し、ドナルド・トランプが支持を表明した。この自称「ブレない天才」は、クルド人は「天使なんかじゃない」と言って、クルド人に対する自らの裏切りを正当化した。[3] もちろん、トランプにとってその地域で天使と呼べるのは、（特に西岸地域の）イスラエルと（特にイエメンにおける）サウジ

3. Philip Bump, “Trump’s Indifferent to New Fighting in Syria: ‘There’s a Lot of Sand There That They Can Play With,’” the *Washington Post*, October 16, 2019, https://www.washingtonpost.com/politics/2019/10/16/trumps-indifferent-new-fighting-syria-theres-lot-sand-there-that-they-can-play-with/.

アラビアだけである。

しかし、ある意味では、クルド人は世界のこの地域における唯一の天使だ。運命に翻弄されて、打ち続く地政学的な植民地支配ゲームの典型的な犠牲にされているクルド人。四つの近隣諸国（トルコ、シリア、イラク、イラン）の国境に沿って広がる彼らに与えられた、（実力以上の）完全な自治には誰も関心を持たなかった上に、結局、高い代償を支払わされることになった。一九八〇年代後半にサダム・フセインが行った、イラク北部クルド人への集中爆撃と毒ガス攻撃を誰が覚えているだろうか。最近でも、トルコが何年にもわたって、綿密に計画された軍事と政治のゲームを繰り広げている。公式にはISISと戦っていることになっているが、実際はISISと戦っているクルド人を爆撃しているのだ。

この数十年は、クルド人が共同生活を組織する能力が、ほぼ明確な実験条件で試されたと言えるだろう。周辺各国の抗争の外で自由に呼吸するスペースができるやいなや、彼らは世界を驚かせた。フセインが倒れたあと、北イラクのクルド居住地はイラクで唯一の安全な地域となり、各種機関は良好に機能し、ヨーロッパへの定期便も飛んだ。北部シリアでも、ロジャヴァを中心としたクルド人居住地が、今日の地政学的混乱においては類を見ない場所になった。このように、周辺諸国からの絶え間ない脅威が一時的に収まったとき、クルド人はあっという間に、良好に機能する実在のユートピアとしか言いようがない社会を作りあげて見せたのだ。職業柄、私はロジャヴァの活発な知識人コミュニティを知るようになり、何度も講義の依頼を受けた（その度重なる計画も、地域の軍事的緊張によって邪魔されたが）。

だがしかし、私が特に心を痛めたのは、クルド人が米軍の保護に依存せざるを得なかったという事実に対して、わだかまりを示した「左派」仲間の反応だった。トルコと内戦のシリアと混乱のイラク・イランの緊張に包囲されたクルド人に、一体どうすべきだったというのだろう。他に選択肢はあったか。反帝国主義者の団結の犠牲になるべきだったというのか。

この「左派」のうんざりするような批判的な距離感は、二〇一八年にギリシャとマケドニア共和国の間で、後者の国名をめぐる紛争解決の、合意が締結された際にも見られた。マケドニアが「北マケドニア」に国名を変更するというこの合意に、たちまち両国の急進派が攻撃を浴びせたのだ。ギリシャ側では、「マケドニア」は古来ギリシャの地方の名称であると反対し、マケドニア側では、自分たちが唯一「マケドニア人」を名乗る国民でありながら「北」に格下げになるのは屈辱的だと反対した。だが、この解決策は完全ではなくとも合理的な妥協によって、長引く無意味な闘争の終わりを垣間見せてくれたはずだ。

ところが、この妥協は、もう一つの〈背反〉に巻き込まれることになる。大国間の争いだ。片や、アメリカと欧州連合。片や、ロシア。西側はマケドニアの早期のEUとNATOへの加盟を促すため、双方に妥協案を受け入れるように圧力をかけ、ロシアも根本的には同じ理由、つまり、バルカン半島への影響力を失うことを恐れて妥協案に反対し、両側の過激な保守ナショナリスト勢力を支援した。

では、我々はどっち側につくべきか。私は、はっきりと、妥協案側につくべきだと考える。それがこの問題に対する唯一の現実主義的な解決策だから、という単純な理由からだ。ここでロシアに賛同することは、多国間の地政学的利益のために、マケドニアとギリシャの関係という一問題への合理的な解決を犠牲にすることになりかねない。はたして、クルド人も、西側の反帝国主義「左派」から、同じような攻撃に見舞われるのだろうか。

だから、我々の責務は、トルコの侵略に対するクルド人の抵抗を全面的に支援し、西側の大国が繰り広げる汚いゲームを厳しく非難することである。クルド人を取り囲む主権国家たちが徐々に新たな野蛮に沈みゆく中で、クルド人こそが唯一のかすかな希望の光だ。そして、この闘争はクルド人だけでなく、我々自身と、新たに生まれつつある新しい秩序の形にとっても重要である。もしクルド人が見捨てられるならば、〈解放（emancipation）〉というヨーロッパの貴重な遺産が存在し得ないような、新しい秩序が生まれてしまうだろう。クルド人から目を背けるならば、ヨーロッパはその化けの皮が剥がされ、真の「ヨーロッパスタン」になるということだ！

第三章

我々の楽園にある種々の厄介

二〇一九年十月中旬、中国メディアは、「ヨーロッパや南アメリカで発生している大規模デモは、香港の騒動に欧米諸国が寛容を示した必然の結果だ」と主張する攻撃を開始した。[4]新京報紙の解説欄で元中国外交官のワン・ツェンは、「破壊的な「混沌の香港」の衝撃が西側世界に影響を与え始めている」と述べた。つまり、チリやスペインの大規模デモは、香港にヒントを得ているというのだ。同様に、国営の環球時報紙の社説も、香港のデモ参加者が「世界に革命を輸出している」とし、「西側諸国は香港の暴動を支持した代償を支払っている。世界の各所で暴力に火がつき、各国政府も収拾できないような政治的リスクを予感させている」と論じた。[5]

さらに、環球時報の公式ツイッターに掲載された論説動画で、編集長フー・シージンは、「西側諸国には数多くの問題や、あらゆる種類の不満がくすぶっている。その多くがやがて香港の抗議活動と同じように表面化してくるだろう」と語り、[6]「おそらく、カタルーニャがその始まりだ」と不穏な結論を示した。

バルセロナやチリの抗議デモが、香港からヒントを得ているというのは単なるこじつけだ

4. Ben Westcott, "West Is Paying the Price For Supporting Hong Kong Riots, Chinese State Media Says," CNN, October 22 2019, https://edition.cnn.com/2019/10/21/asia/china-hong-kong-chile-spain-protests-intl-hnk/index.html
5. "HK-Style Violence to Impact Western System," *Global Times*, October 20, 2019, https://www.globaltimes.cn/content/1167409.shtml.

が、こうした市民の爆発、すなわち、香港、カタルーニャ、チリ、エクアドル、レバノン、そしてもちろん、フランスの黄色いベスト運動も、共通項を持っていないというわけではない。それぞれのケースで、特定の法律や政策（フランスでは燃料価格の上昇、香港では逃亡犯条例、チリでは公共交通機関の運賃値上げ、バルセロナでは独立賛成派のカタルーニャ州政治家に対する長い刑期など）に対する抗議が、不測のきっかけを密かに待っていた一般的な不満に着火して爆発に発展したという展開は共通だからだ。そのため、問題となった特定の法律や政策が撤回されたのちも抗議活動は続いた。

ここで、二つの不気味な事実に注目せずにはいられない。ひとつは、「共産主義」中国が西側諸国に国内の不満を過小評価しないよう警告して、さりげなく民衆の反乱に対する世界の権力者どうしの連帯感を刺激するそのやり方である。中国の真意は、あらゆるイデオロギーと地政学上の緊張の足元に、権力保持という各国共通の基本的な利益があることだ。もうひとつは、「楽園だからこそのトラブル」という側面である。市民の抗議活動は貧しい荒廃した国で起きているのではなく、（少なくとも相対的には）繁栄している、（少なくとも経済的には）サクセスストーリーとして語られる国々で起きている。これらの抗議活動は、表向きの成功の真相を暴く不平等の拡大を表現したものなのだが、むろん、経済的な問題に矮小化するべきではない。市民が表現している不満は、社会が持つべき機能に対する（規範的な）期待、つまり、個人と集団の自由、尊厳、実り多き人生といった「経済以外の」問題に

6. Westcott, "West Is Paying the Price For Supporting Hong Kong Riots."

も関わる期待が膨らんでいることを示しているからだ。最近まで正常の範囲として受け入れられていたこと（一定程度の貧困、完全な国家主権など）も、対抗すべき過ちとして認識されるようになったということだ。

したがって、我々は、拡大する環境保護活動やフェミニストの闘争（除菌されたアメリカのMeToo運動的なそれではなく、本物の闘争、数万の普通の女性を巻き込む闘争をいう）も現在の一連の抗議活動に含めるべきである。

ひとつの事例を取り上げて考えてみる。メキシコのフェミニストの大規模なデモだ。まとめ役のアレハンドラ・サンティリャーナ・オルティスが「〈生〉に関する対話、尊厳ある〈生〉と怒りについての対話」[7]と呼ぶものが、このデモには必要だとされている。「生きるとは、何を意味するのか。命を最優先するというのは、どんな意味か。私たちにとって〈生〉は陳述的な抽象ではない。〈生〉は、尊厳と尊厳を可能にするあらゆるものとに関する対話を必要とする」と彼女は言う。ここで言われているのは、生きることの意味についての抽象的で哲学的な思索の話ではなく、日々の暮らしのきわめて普通の行動——地下鉄に乗るといった行動に、残忍な暴力や侮辱の危険が蔓延していることを示す、具体的な経験に根差した熟考のことである。

メキシコ・シティーでは、通勤になくてはならない地下鉄の中で、数カ月のうちに何千人もの女性が誘拐されており、それがすべて公衆の面前で真昼間に行われている。誘拐されな

7. Alejandra Santillana Ortiz, interview by Tobias Boos, “Graffiti and Glitter Bombs: Mexico’s Movement Against Rape,” *New Frame*, October 23, 2019 https://www.newframe.com/graffiti-and-glitter-bombs-mexicos-movement-against-rape/

くとも、暴行されたり、何らかの乱暴な権利侵害に遭遇したりする可能性が非常に高いのだ。どうして安心して地下鉄に乗ることができよう。だからこそ女性専用車両があるのだが、それでもなおその車両に乗り込んでくる男性すらいる。

メキシコは極端な例かも知れないが、どこにでも見られる傾向から推定できることではある。我々が生きる社会は、表面のすぐ下に男性の残忍な暴力が煮えたぎっている社会なのだ。

一つ明らかなこと、それは、ポリティカル・コレクトネスではこの問題を打破できないということである。そして、メキシコが実例となっている点がもうひとつ。この変わらぬ男性の残虐性と、我々を守ってくれると期待される国家装置との間に、秘密の連帯があることだ。サンティリャーナ・オルティスは言う。

ある種、罰せられることのない暴力的な社会の形態があり、国家がその暴力性の一端を担っている。メキシコでこの数年起きている犯罪の多くは、国家やその職員、あるいは警察が直接関与しているか、あるいは、罪を問われない状況の一般化を、裁判官や司法に関わる者を通じて、国家が保証しているのだ。

この「罪を問われない状況の一般化」は、新しいポピュリズムの波の真実である。国家と市民社会のこのゾッとするような共謀に太刀打ちする力を持つのは、圧倒的な一般市民の動員だけだ。だからこそ、今、世界中で起きている抗議活動は、既存の代議制＝政治的表象の形態になじまない不満の増大の現れなのである。

ただし、こうした抗議活動が既存の政治から距離を置いているからと、手放しで賛美することは避けなければならない。つまり、ここに、難しい「レーニン主義者」の責務がある。環境問題もフェミニストも含め、あらゆる形の増大する不満を、いかにして一つの大規模な協調したムーブメントにまとめるか、という課題である。これに失敗すると、我々を待つのは、永遠の〈例外状態〉と動揺する市民という社会の姿である。

第四章

アサンジとコーヒーを飲むことの危険性

二〇一九年十一月二十一日木曜日、私はロンドンのベルマーシュ刑務所に、ウィキリークス創設者ジュリアン・アサンジを訪ねた。この時、ある取るに足らない些細なことが、象徴的に私の印象に残った。「私たち」（訪問者と受刑者）の福祉と人権を尊重する刑務所の姿勢を反映する出来事である。

刑務官はみな非常に親切で、すべてが「私たちのため」に行われていると繰り返し強調していた。たとえば、服役中のアサンジは保護拘置下に置かれているが、一日二十三時間は独房監禁されており、食事は独房で一人でとらなければならず、一時間だけ屋外に出ることが許されるが、他の受刑者と会うことはできない。同行する刑務官とのやり取りも、必要最小限である。なぜ、これほど厳しい処遇なのか。私が受けた説明は、予想どおりのものだった。「彼自身のため」。彼は多数から忌み嫌われる裏切り者であり、他の者と一緒にすると攻撃されかねないというのだ。

いや、しかし、この「私たちのため」のクレージーな配慮の最たる事例が発生したのが、私の面会に立ち会ったアサンジ担当者が一杯のコーヒーを持ってきたときだった。ジュリアンと私が座ったテーブルにコーヒーが置かれた。私はプラスチックの蓋をとり、一口すすって、そのまま蓋をせずにテーブルに置いた。即座、ほんの二、三秒後に、ひとりの刑務官が私に近づき、手の動きで、非常に優しく、人道的刑務所らしく（そんなものがあるとして）、コーヒーの蓋を戻すよう示したのだ。私はそのとおりにしたが、その要請に少し驚き、刑務所を出るときに職員に理由を尋ねた。彼の説明は、もちろん、暖かく人間味にあふれるものだった。「あなた自身のため、保護のためです。狂暴な行動をとる傾向がある危険な受刑者と一緒にいる状況で、二人の間に熱いコーヒーが蓋をせずに置かれていたものですから」。これほどまでに保護されていることに胸が熱くなる思いだった。アサンジを訪問したのがロシアか中国の刑務所だったとしたら、どれほどの脅威に晒されたか。きっと看守はこんな素晴らしい安全対策を取らず、私はひどい危険に直面したにちがいない！

実は、この訪問の数日前、スウェーデンはアサンジの引き渡し要求を取り下げていた。つまり、詳細な証人尋問を経たうえで、起訴に十分な根拠がないことをスウェーデンがはっきり認めたのである。だが、この決定には不穏な背景がある。二方向から引き渡し要求があるとき、裁判官はどちらかの優先を決定しなければならないのだが、スウェーデンが選ばれれば、アメリカへの引き渡しが危うくなる（引き渡しが遅れれば、世論が反発する）。だが、今回スウェーデンの要求取り下げによって、引き渡しを求めるのがアメリカだけになり、状況ははっきりしたというわけだ。

そこで、素朴な疑問が湧く。スウェーデンは数人の証人を尋問してアサンジの無罪を決定するのに、本当に八年も必要だったのか（彼の人生をこれほど長く無駄にして、誹謗中傷に加担した）。結局は、強姦の告発は嘘だと明らかになったにもかかわらず、アサンジへの誹謗中傷に加担したスウェーデン政府機関も、イギリスのメディアも、明確な謝罪をする良識を持っていなかった。アサンジはアメリカではなくスウェーデンに引き渡すべきだなどと、盛んに書いたジャーナリストはどこへ行ったのか。ついでに言えば、アサンジはパラノイアだとか、引き渡しはありえないとか、エクアドル大使館を出たら数週間収監されるだけで自由になるとか、彼が恐れるべきは恐れそのものだけだとか、騒いでいた者たちは、今どこにいるんだ？

特にこの「恐れるべきは恐れのみ」という言い分は、私にとっては、ある種、神の不存在の否定的な証拠である。公正の神があるのなら、大恐慌時代のF・D・ルーズベルトの気が利いた名言を使ったこの不愉快な筆者は、稲妻に打たれることだろう。

すでに中国に言及してしまったので、香港で何ヵ月も続いている大規模な抗議行動について、ここで思い出さない訳にはいかない。きっかけとなったのは、中国が要求すれば香港当局は市民を中国に引き渡さなければならないという法案だ。中国は香港に法案の受け入れを求めているのだが、私には中国に対する香港政府よりも、アメリカに対するイギリスの方が媚びへつらいが激しいと思える。なぜならイギリス政府は、政治犯罪で起訴された人物をアメリカに引き渡すことを、まったく問題と考えていないからだ。「一国二制度」のもと、香港は曲がりなりにも中国の一部であり、中国の要求の方がまだ理にかなっている。だが、イギリスとアメリカの関係は、明らかに「二国一制度」（もちろん、制度はアメリカのもの）だ。EU離脱はイギリスの主権を主張する方法として推進されているわけだが、今や、アサンジの件で明らかなとおり、この主権が何を意味するかは明白だ。そう、アメリカの要求への服従である。

今こそ、すべての誠実なEU離脱賛成派は、アサンジのアメリカへの引き渡しに断固として反対すべき時である。もはや、ことは些細な法的あるいは政治的問題ではなく、我々の自由と人権の基本的な意味に関わる問題だ。アサンジの件が自分たちの問題であると、彼が引き渡されるかどうかは、自分たち自身の運命に深く影響すると、一般市民はいつ理解するようになるのだろうか。我々は、何かあいまいな人道主義的関心やかわいそうな犠牲者への同情からではなく、我々自身の未来に対する懸念ゆえに、ジュリアンを救い出さなければならない。

もう十年以上にわたって、私はエボ・モラレス元ボリビア大統領の断固たる支持者であるわけだが、疑惑の二〇一九年選挙でモラレスが勝利した直後に生じた彼の辞任・亡命などの大混乱について知ったときには、しばし疑念に捉われたことを認めなければならない。多くのラディカルな左派政権がそうであったように、モラレスも権威主義の誘惑に屈したのだろうか、と。だが、すべての疑念が晴れるのに、ほんの一日二日しかからなかった。

モラレス失脚後、ボリビアの暫定大統領就任を宣言したヘアニネ・アニェス上院副議長は、革装の巨大な聖書を振りかざし、「聖書が政治の場に戻ってきた」と謳い上げた。[8] そして、「私たちは包括と統合の民主的ツールになりたい」と続けた。ところが、就任宣言をした彼女の暫定内閣には、先住民出身の閣僚は一人もいなかった。これがすべてを物語る。

そもそも、ボリビア人口の過半数を先住民と混血が占めるにもかかわらず、モラレスが登場するまで、事実上、彼らは政治から締め出され、社会の陽のあたらない所で汚れ仕事をするサイレント・マジョリティに甘んじていた。モラレスがもたらしたのは、資本主義関係のネットワークに属さないこのサイレント・マジョリティの政治的覚醒である。彼らは現代的

8. Nathan J. Robinson, "Lessons from the Bolivian Coup," *Current Affairs*, November 26, 2019, https://www.currentaffairs.org/2019/11/lessons-from-the-bolivian-coup

な意味でのプロレタリアですらなく、前近代的な部族社会のアイデンティティに浸かったままだったのだ。モラレスの副大統領だったアルヴァロ・ガルシア・リネラが、彼らの運命をこう表現している。[9]

> ボリビアでは、先住民の農家が食料を生産する。先住民の労働者がビルや家を建てる。通りを清掃するのも先住民。エリートと中産階級が子供の世話を任せるのも先住民。しかし、従来の左派はこれに気づいていないらしく、もっぱら大規模産業の労働者の相手をするばかりで、先住民の民族アイデンティティに何らの注意も払っていない。

ボリビアの先住民を理解するためには、彼らが置かれた窮状の歴史的背景全体を視野に入れなければならない。彼らは人類史上おそらく最悪のホロコーストの生き残りであり、アメリカ大陸におけるスペインとイギリスの植民地政策によって、彼らのコミュニティは完全に破壊された。

ボリビアの先住民の宗教では、カトリックと母なる大地の神パチャママ信仰とが独自の融合をしている。だから、モラレス自身はカトリック教徒だと言っているにもかかわらず、現在のボリビア憲法（二〇〇九年施行）では、ローマ・カトリックはその公的な地位を失っているのである。憲法第七条は、「国は、国民の世界観に応じ、宗教および霊的信仰の自由を

9. Álvaro García Linera, interview by Marcello Musto, "Bolivian Vice President Álvaro García Linera on Marx and Indigenous Politics," *Truthout*, November 9, 2019, https://truthout.org/articles/bolivian-vice-president-alvaro-garcia-linera-on-marx-and-indigenous-politics/

尊重し保証する。国は宗教からは独立した存在である」と定める。しがって、アニェスの聖書を掲げる演出は、先住民文化の肯定に反しているわけだ。彼女のメッセージは分かりやすい。あからさまな白人宗教至上主義の主張と、サイレント・マジョリティを従来の従属的地位に戻そうとする同様にあからさまな試みである。

失脚して母国を追われたモラレスは、亡命先のメキシコからローマ教皇に介入を求めているのだが、教皇がこれにどう対応するかが実に興味深い。さて、教皇フランシスコは、真にクリスチャンらしい対応をとって、ボリビアの強制的な再カトリック化を明確に拒否できるだろうか。強制的な再カトリック化は、〈解放〉を求めるキリスト教の核心を裏切るような、政治的権力争いそのものなのだが。

ところで、リチウムがこのクーデターに果たした役割の可能性（ボリビアには電気自動車の電池に必要なリチウム資源が豊富）を脇に置くとしても、なぜ、ボリビアはこれほどに西側の自由主義エスタブリッシュメントの悩みの種なのか。その答えは、非常に特異である。ボリビアの前近代的な部族主義からの政治的覚醒は、センデロ・ルミノソやクメール・ルージュが行った恐怖ショーの新ヴァージョンにはならずにすんだ。モラレス政権は、政権を握ったラディカルな左派がやりがちな、政治と経済をめちゃくちゃにして貧困を生み出し、権威主義的な方策で権力を維持しようとするようなこともなかった。政敵である軍や警察の要人を追放しなかったことは、モラレス政権の非権威主義的な特徴を証明している（それゆえに敵に回すことになるが）。

モラレスとその支持者らも、むろん、完全ではない。間違いも犯したし、その運動には利益相反もあった。しかし、全体的なバランスは傑出していた。モラレスはチャベスではない。問題の抑え込みに使えるようなオイルマネーはなく、だからこそモラレス政権はラテンアメリカの最貧の国で、問題解決に厳しく粘り強い取り組みを続けたのだ。その結果はまさに奇跡に他ならない。経済が活性化され、貧困率は低下し、医療は改善し、リベラルが重視する民主的な機構はすべて機能し続けた。モラレス政権は、先住民のコミュニティ活動と近代的な政治の微妙なバランスを維持し、伝統の継承のためにも女性の権利擁護のためにも、同時に闘ったのだ。

ボリビアのクーデターの全容を語るには、関連する文書を曝露する内部告発者の出現を待つしかない。ただ、モラレスとリネラとその支持者たちが成功を収めたそれゆえに、リベラル・エスタブリッシュメントに刺さった棘となったことは確かである。十年以上にわたりラディカルな左派が政権の座にあっても、ボリビアは、キューバやベネズエラのようにはならなかった。民主社会主義は可能なのである。

第六章

チリ——新しいシニフィアンに向けて

ニコル・バリア－アセンジョとスラヴォイ・ジジェク

陰鬱なこの時代に、多少の希望をもたらす出来事が、最近二つあった。一つはボリビアの選挙、もう一つはチリのAPRUEBO国民投票である。

ボリビアでは、エヴォ・モラレス政権で経済相だったルチョ・アルセが新大統領に選出され、モラレスの党が意気揚々と政権に返り咲いた。一方、チリの有権者は、二〇二〇年一〇月二十五日、社会正義と自由の傾向を強める憲法改正の承認「APRUEBO」か、あるいは拒否「RECHAZO」か、国民投票に臨んだ。ボリビアとチリ、いずれも「形式」としての民主主義（自由選挙）と実態のある国民の意思とが重なり合うレアな事例である。ボリビアで起こったこととチリで起きている出来事は違ってはいるが、長期的には両者が同じ実を結ぶことを私は願っている。

ボリビアとチリの出来事は、あらゆるイデオロギー的操作が行われたとしても、いわゆる「ブルジョワ民主主義」が機能することもあるのだという証明ではある。とはいえ、リベラル民主主義は今や限界に達しつつあり、機能するには補足が必要になっているのは確かだ。

では、何を足せばよいのだろう。実は、フランスで、国家機構に対する市民の深刻な不信に対応するため、非常に面白い試みが動き出している。古代ギリシャで最初に行われた地域市民会議(アセンブリ)の復興だ。フリージャーナリスト、ピーター・ヤンがガーディアン紙に書いている。

はるか昔、紀元前六二一年。古代アテネの民衆会議エクレシアは、身分にかかわらず、男性市民ならだれでも参加できるフォーラムだった。今、パンデミックがもたらした経済と社会の危機が迫るなか、この古代民主主義のツールが二十一世紀向けにアップデートされようとしている。フランス全土の町・市・地域の後押しを受けて、より平等主義的な未来に向けて、市民が舵を切り始めている。[10]

このフォーラムは地域の国家機構が組織化するものではなく、国とは無関係の地域コミュニティで活動するメンバーが自主的に組織し、抽選という偶然の要素も強く関与する。無作為に選出される代表は百五十人だ。実は、APRUEBO国民投票の勝利後のチリでも、漠然とだが類似の手続きが見られ、制度化された政治勢力以外から百五十五人の個人が選出され、新しい憲法の草案に取り組むことが行われている。

マーク・トウェインは、「投票で何かが変わるなら、国民に投票させたりはしないだろう」と言ったとされているが、本当に言ったか書いたかした証拠はない。裏付けのある同様

10. Peter Yeung, "It Gave Me Hope in Democracy': How French Citizens Are Embracing People Power," the *Guardian*, November 20, 2020, https://www.theguardian.com/world/2020/nov///20/it-gave-me-hope-in-democracy-how-french-citizens-are-embracing-people-power

の発言の初例は、一九七六年にロウェル・サン紙に掲載されたロバート・S・ボーデンのコラムである可能性が高い。アメリカの選挙制度についてボーデンは、「七千万人と推定される投票しない有権者の態度と、投票や選挙による代議の概念が基本的に悪徳で詐欺的だという現実とは、高い整合性を持ちうる。それに編集者らは気づいているのだろうか。本当に投票で何かが変わるなら、投票は法で禁じられることだろう！」と書いている。[11]

ただ、この投票不信の主張をマーク・トウェインのものとするのには、もっともな理由がある。トウェインの姿勢を忠実に反映しているからだ。トウェインはすべての人（女性を含む）の投票権を主張し、投票を促してはいたが、マジョリティの意思表明を妨げている選挙のメカニズムに対して深い疑念を持っていた。

引用されたこの命題は、基本的に、普遍的に有効なものとして我々も受け入れるべきであるのだが、同時に、例外あってこその普遍性であることも認めなければならない。時折、まれにだが、選挙や国民投票が大きな変化を生むことがあるからだ。実際、そのような選挙だけが「民主的」と見なしうる選挙なのだが、概して、不安定さのサインとして、つまり、民主主義が危機に瀕している兆候として解釈されてしまいがちだ。

ボリビアのモラレス政権を転覆させたクーデターは、「全体主義」に陥る危険性に対抗して議会の「正常性」を取り戻すのだ、という名目で正当化された。モラレスが民主主義を廃して、ボリビアをキューバやヴェネズエラのようにする危険があったというのである。しか

11. "Quote on Voting Doesn't Tally as Mark Twain," AAP FactCheck, December 19, 2019, https://factcheck.aap.com.au/social-media-claims/quote-on-voting-doesnt-tally-as-mark-twain.

し、実際は、モラレス政権の十年、ボリビアは新しい「正常性」の確立に成功し、国民の民主的な動員と明瞭な経済的発展とを結合させた。今回、新大統領となったルチョ・アルセは、モラレス政権で経済相を務め、「モラレス政権の十年に、ボリビア国民は人生で最良の時期を謳歌した」と評価している。このやっと手に入れた正常性を破壊し、新しい混沌と困窮をもたらしたのは、モラレスを追い出したクーデターの方である。したがって、アルセが勝利した今、ボリビアはゼロから出発する必要はない。クーデターの前の状態にもどり、そこから始めるだけでよいからだ。

一方、チリの状況はもっと複雑である。実は、十月は、チリの月だ。この国の政治の歴史を根本からひっくり返す出来事が何度も起きた月だからだ。大統領選でマルクス主義のサルバドール・アジェンデの勝利が認定されたのは、一九七〇年十月二十四日のことだった。抗議活動に参加した市民たちがピノチェトの正常化政策の終焉を宣言したのは、二〇一九年十月十八日だった。そして、二〇二〇年十月二十五日（偶然にも、旧ロシア暦で十月革命の当日にあたる）には、APRUEBOの勝利があり、ピノチェト時代にまつわるシンボルが公共の場から姿を消した。だから十月は、チリのカレンダーでは特別の月、国民が意を決して始めた歴史的・象徴的な断絶と深くかかわる月なのである。

かつて、あらゆる公式な民主主義のルールを尊重しながら、様々な施策を実行したアジェンデ大統領だったが、支配階級は「ラディカル」過ぎると見なし、アメリカの積極的な支援を受けて経済妨害活動を組織的に実施した。国民のアジェンデへの支持が失われることはなかったが、結局、一九七三年九月十一日の軍事クーデターにより彼の政権は倒れ（まさしく9・11の大惨事）、それから文字どおりの軍事独裁が四年続いた。一九七七年になって、軍事政権が指名した十二人で構成された「新憲法研究委員会」に対し、チリ軍政憲法の策定が委任された。この委員会が作った草案を、これも軍事政権が創設した国家委員会が修正し、最終的にピノチェト将軍本人も修正を加えた。この憲法の目的は、まさに当時国内で構築されつつあったモデルの存続を確実にすることにあり、そのモデルを脅かしかねない経済的判断については、将来の自由が保留されたままだった。

　このように、ピノチェトは、新自由主義秩序のなかで富裕層の既得権を保証する新憲法を手に、独自の「民主的な」正常化を実行していった。だが、ピノチェトの民主化はフェイクだった。独裁権力が許した（あるいは推進すらした）民主主義はすべてフェイクであり、その証拠に、二〇一九年十月の抗議活動が勃発したのだ。

　そして、この抗議活動から生まれたAPRUEBO運動は、賢明にも、憲法改正を焦点に据えた。ピノチェトが用意した民主的正常化は、形を変えたピノチェト政権の延長でしかないことが、チリ国民の大多数にも明らかになったからだ。ピノチェトの影響力は、民主的ゲームのコントロールを維持する、いわば「ディープ・ステート」として、背後に存在し続けたということである。今、ピノチェトの民主的正常化の錯覚は消え去り、本当の難しい仕事が目の前にある。ボリビアと違い、チリは回帰すべき確立された秩序がないため、新しい正常性を慎重に作っていく必要がある。栄えあるアジェンデ政権の数年間も、残念ながらそのモデルにはなりえない。

この道には数々の危険が潜んでいる。選挙での勝利は始まりに過ぎず、本当の困難な仕事は、熱狂が冷める勝利の翌日から始まる。ポスト資本主義世界の新しい正常性を、粘り強く構築していかなければならない。今後数週間、数カ月、チリの国民はその宿敵たちが繰り返し発する永遠の疑問を聞くことになるだろう。「OK、なるほど君らは勝ったわけだが、何が欲しいか具体的に言ってみたまえ。君らのプロジェクトを明確に定義できるのかね?」と。

あるアメリカの古い卑猥なジョークが、その答えになるかもしれない。ボンクラ男とセックスしてみることにした海千山千の女は、男の服を脱がし、ちょっと刺激して勃起させたら、足を開いてペニスを導く。そして女は男に言う。「OK、いいわね、腰を動かすのよ。ちょっと出して、また深く入れて、出して、入れて。出して、入れて」。すると一分かそこらで、このボンクラ男は怒り出す。「どっちか決められないのかよ! 出すのか、入れるのか、どっちだよ!?」

チリを批判する者たちは、このボンクラ男のように振舞うだろう。どんな新しい形の社会を求めるのか、明確な決定を求めようとする。しかし、ＡＰＲＵＥＢＯの勝利がゴールでも、闘争の終結でもないのは明らかだ。それが新しいポスト・ピノチェトの正常性を構築する長く難しいプロセスの始まりであって、アドリブに満ちた行きつ戻りつのプロセスだ。

ある意味、この闘争はＡＰＲＵＥＢＯの抗議活動や政治キャンペーンよりも難しいかもしれない。キャンペーンには明らかな敵があり、その敵が引き起こした不正義や苦境を声高に訴えさえすればよかった。尊厳とか、社会・経済的正義とか、心地よい抽象の中に解放のゴールがあった。今後、ＡＰＲＵＥＢＯは自分たちの計画を運用につなげ、具体的な施策に落とし込んでいく必要がある。だが、それは国民の根狂的な連帯の中で無視されていた内部の不一致を明らかにすることにもなる（先ほどの卑猥なジョークに戻るなら、チリ国民は反対論者たちをあのボンクラ男として扱い、こう言ってやるべきである。「だめだめ。長いお楽しみが始まったんだから。簡単には決められないのよ。ゆっくりと入れたり出したり、チリ国民が完全に満足するときまでね」）。

実は、この解放プロセスに対する脅威は、すでに現実になりつつある。予想されたとおり、一部の右派が社会民主主義の言説を盗用して、ＡＰＲＵＥＢＯを「過激主義者」にしたてようとしている。また、ＡＰＲＵＥＢＯ内部でも、伝統的な代表制民主主義に留まりたい者たちと、もっとラディカルな社会動員を求める者たちの間に対立の兆しがある。この窮地から向け出る方法は、「主義にもとづく」退屈な議論にはまり込むことではなく、仕事に取り掛かり、工夫し、様々なプロジェクトを実行に移すことである。ダニエル・ハドゥエは、特に彼のレコレタ市長としての実績を踏まえると、こうした取り組みをまとめる適役と言ってよい。チリのグループ、ロス・プリシオネロス（囚人たち）の大ヒット曲「取り残された人々のダンス（El Baile de Los Que Sobran）」は、通りを埋め尽くすデモ参加者のテーマ曲になったが、今のチリに必要なのは、「取り残された人々の努力」だ。これが実現しないと、旧政権が新しい社会民主主義の仮面をかぶって生き返り、一九七三年の悲劇（アジェンデ大統領に対するクーデター）が、ポストモダンの皮肉な茶番として繰り返されることになるだろう。

むろん、この闘争がどのような形で終わるのか、リスクが大きすぎて予測はできない。だが、最大の障害はピノチェトの負の遺産それ自体ではなく、ピノチェトの独裁政権が行った段階的な（フェイクの）開放の遺産である。特に一九九〇年代を通じて、チリの社会は急速なポストモダン化とでも呼べるような変化を体験した。大量消費快楽主義の拡大、性に対する表面的な寛容性、競争的な個人主義などである。

実は、当時の権力者たちは気づいていたのだ。社会連帯に由来するラディカルな左派のプロジェクトを国家が直接弾圧するよりも、アトム化された社会空間を作った方がはるかに効果的なことに。階級は「即自的に」存在し続けるのであって、「対自的に」存在し続けるのではない。私だって自分の階級に属する他者を、同じグループのメンバーとして連帯の目で見るよりむしろ、ライバルとして見てしまう。国家による直接の弾圧は反対勢力を団結させ、組織だった抵抗を促すが、「ポストモダン」社会においては、たとえ切羽詰まった不満であっても、すぐに息切れするような無秩序な暴動の形を取るだけで、明確な計画を持った組織化された力という「レーニン主義」の段階には到達しえないのである。[12]

ただ、チリに希望があるのは、一連の具体的な特徴ゆえである。そのうち二つを挙げる。一つは、精神分析家たちの強力な政治関与である。その多くはラカン派で左派寄りの立場をとる。二〇一九年十月に発生した抗議活動でも、また、国民投票においてAPRUEBOを勝利に導いた組織の中でも、精神分析家が大きな役割を果たした。二つ目は、チリでは（ボリビアなどの一部の国がそうであったように、だがブラジルとは対照的に）新右翼のポピュリズムが人気を集めたことがない点である。チリの市民動員は、明らかに左派的な性格を持っている。この二つの特徴は、何らかの形で繋がりがあるのだろうか。

ところで、ラディカルな社会変化に関して、一般に、精神分析はどのような立場をとるのだろうか。多くの場合、精神分析家は「穏健な」リベラルの位置を占め、ラディカルな解放のプロセスにある罠を警戒する。たとえば、ラカンはこの点について典型的な例を示している。彼は、我々の精神生活の基本的な対立（antagonism）は、利己主義と利他主義との対立ではなく、あらゆる見た目の〈善〉（the Good）の領域と、あらゆる見た目の快楽原則（過剰な愛、過剰な死の欲動、過剰なねたみ、過剰な責務……）を越えた領域との間にある対立であるとはっきり指摘している。

12. この話題に関する詳細な分析は、*Política y Sociedad*（Madrid）に掲載された Jamadier Esteban Uribe Munoz and Pablo Johnson, “El pasaje al acto de Telémaco: psicoanálisis y política ante el 18 de octubre chileno,” to appear in *Política y Sociedad*（Madrid）を参照

哲学の表現で言えば、この対立の最も的確な例は、アリストテレスとカントの二人だろう。アリストテレスの倫理は〈善〉の倫理であり、過剰に対する穏健（適切な程度）の倫理である。一方、カントの倫理は、無条件の義務倫理であり、あらゆる適切な程度を越えて行動するよう我々に求める。たとえその行動が破局（カタストロフィ）を伴うとしてもだ。多くの批評家がカントの厳格主義は「狂信的」だと言うのも不思議ではなく、ラカンがカント派の無条件の倫理的命令の中に、自らの欲望への忠誠という彼自身の倫理の初めての形成を認めたというのも、不思議ではない。〈善（the Good）〉の倫理は、究極的には〈財（the goods）〉の倫理、分割・流通・（他の物品との）交換が可能なモノの倫理である。

ラカンが「分配の正義」という概念について非常に懐疑的だったのも、これが理由だ。この概念は財の分配のレベルにとどまり、〈妬み（envy）〉という比較的単純なパラドクスにさえも対処することができない。たとえば私が、「私の分け前を多少減らしてもいいよ、隣人の分け前が私より少ない限りね」と言ったら（そして、隣人が自分より剥奪されているという気づきが、私に余剰享楽すら与えるとしたら）、お手上げだろう。

それゆえ、平等主義（egalitarianism）それ自体、決して額面どおりに受け入れられるべきでない。平等主義の正義という概念（とその実践）は、妬みによって支えられている限りにおいて、他者の利益のためになされる一般的な放棄の逆転に立脚している。つまり、「私には放棄する用意がある。だから、他の人「も」所有できない」となるのだ。これは、犠牲の精神に反対しているのではまったくない。しかし、ここで現れる〈悪〉は、まさに犠牲の精神として現れる。もし、自分の犠牲によって〈大文字の他者〉からその快楽を奪えるのだったら、喜んで自らの幸福に目をつぶる、と。

ただ、この論理は、平等主義的な解放のプロジェクトすべてに反対する一般的な論拠としては、役に立たない。効き目があるのは、再分配を重視した解放に反対する場合だけである。そもそも「分配の正義」は、左派リベラル（あるいは社会民主主義）の概念であることを忘れてはならない。なにしろ我々はまだ、いわゆる「唯一、実際にうまくいく秩序」である資本主義的生産様式の中にいて、富裕層に重く課税して富の不均衡を是正しようとしているに過ぎないからだ。

今、我々のゴールはもっとラディカルでなければならない。進行中の危機（新型コロナパンデミック、地球温暖化、森林火災など）からいよいよ明らかなとおり、グローバルな資本主義秩序はその限界に達しつつあり、人類全体を自滅の奈落に引きずり込もうとしているのだ。これに気づけば、ジャック＝アラン・ミレールが提唱するような皮肉じみたリベラル保守主義は、もはや機能しない。ミレールが支持した古い保守的な〈知恵〉は、安定性を維持するためには、人は選択によって確立されたルーチンを尊重し順守しなければならないというものだ。

選択それ自体も、常に恣意的で権威に服従する。「持続する進歩主義などない」のだが、むしろ、特殊な「享楽の自由主義」と呼ばれる快楽主義はある。人は「郷(シテ)」とその法律・伝統のルーチンを損なわないよう維持しなければならないし、社会秩序を維持するためには、ある種の蒙昧主義が必要なことを認めなければならない。「問うべきでない問題というものがある。一度、社会の亀をひっくり返したら、二度と元に戻して立たせることはできないのだ[13]」。

「寛容な」一九九〇年代のピノチェトのチリは、そのような「郷(シテ)」のルーチンを守った「享楽の自由主義」の完璧な事例であると指摘せざるを得ない。そして、実際、ミレールは大胆にも、「注意して政治分野に介入しないアイロニストの立場をとる」精神分析家という、自ら示した概念が政治に与える影響を詳しく説明している。「このアイロニストは、自分が扱っている対象者が見せかけを現実と取り違えないよう導く一方で、見せかけがその場に残るように行動する。人は進んで見せかけに捉われた(見せかけに騙された)ままになるべきだからである」というものだ[14]。

だから精神分析家は、政治についてプロジェクトを提案しないし、提案することもできない。できるのは他人のプロジェクトをあざ笑うことだけで、それが精神分析家の発言の範囲を限定する。このアイロニストは偉大な企図など持たず、ただ他者が最初に発言するのを待

13. Nicolas Fleury, *Le réel insensé: Introduction à la pensée de Jacques-Alain Miller* (Paris: Germina, 2010), p. 96 (J.-A. Miller からの引用中の引用).
14. 同上 pp. 93–94

ち、可能な限り素早く他者の落ち度を指摘する。こんなのは、いわば政治的な〈知恵〉であり、それ以上のものではない。[15]

この考え方は、権力者には「プロジェクトを提案する」ことよりもっと重大な仕事があるというポストモダンの社会にもぴったり合う。「プロジェクトを提案する」のは、不能な左派（あるいは極右）であり、そこで冷笑的な精神分析家がそのプロジェクトの危険性について警告するわけだ。しかし、我々の社会秩序という亀がすでにひっくり返っており、あまりに傷ついていて元に戻して立たせる術がないときに、何をすべきなのか。憂慮すべき〈現れ〉を牽制している時間がない。〈現れ〉はすでに自己破壊しつつある。自称キリスト教保守のドナルド・トランプは、敵対するあらゆる左派以上に、〈現れ〉を攪乱したではないか。

社会秩序が混乱しているときに、精神分析の理論家が喧伝しがちな別の警告がある。それは、「カタストロフィから救い出し、新しい、より公正な秩序に導いてやる」などと約束する革命家を信じるなという警告だ。これは、我々の最も崇高な行動ですら自己陶酔的で被虐的な本能的動機を隠しているという、一般的な精神分析家の立場によく合っているようだ。ジャクリン・ローズは、初期の人類が氷河期の恐怖に襲われたとき僭主が出現したという、フロイトの幻想を想起している。[16]

意欲が無残に削がれることに対する人の反応は、ヒステリーだった。リビドーが抑圧

15. Jacques-Alain Miller, "La psychanalyse, la cité, les communautés," *La cause freudienne* 68 (February 2008), pp. 109–110.

16. Jacqueline Rose, "To Die One's Own Death," *London Review of Books* 42, no. 22, November 14, 2020, https://www.lrb.co.uk/the-paper/v42/n22/jacqueline-rose/to-die-ones-own-death.

のリスクになる現代に見られる、転換ヒステリーの起源である。人はまた、僭主にもなる。多くの人々の命を守る自らの権力に対する報酬として、無制限な支配を自らに与えるからである。「言葉は彼にとって魔術だった。自分の思考は万能に思われた。彼は自分のエゴに従って世界を理解した」。私はこれが気に入っている。今日、世界の数か国の支配者、とりわけ間もなく「前」アメリカ大統領になるドナルド・トランプの行動が目に余るほど証明しているとおり、僭主はカタストロフィにそっと付いてくる。

ローズは、ここで一般的な結論を示す。つまり、氷河時代から現在実際に起きている災難や間近に迫った災難(パンデミック、地球温暖化、新たな世界大戦後の核の冬)まで、カタストロフィに対する顕著な反応は、何らかの形の僭主の台頭である。世界的な災難は、人間の最悪の部分を浮き彫りにするのだ。さらにローズは、こう続ける。

今、終わりの見えないパンデミックの真っただ中で、生きることにも死ぬことにおいても新しい形の連帯が求められ、新しいインクルーシヴな政治意識が求められている。しかし、この新しい現実の中で、ひっくり返ったヒマワリのように、精神分析家の未完成プロジェクトの真ん中に残る人間の存在のより暗い側面は、どこに居場所を見つけられるのか。それが見つけられなければ、他でどんなに努力しても、その方向での我々の

17. Rose, “To Die One’s Own Death.”

動きはすべて、結局は、虚しいジェスチャーに過ぎないことが証明されるだろう。[17]

この論考には相当程度の真実があるが、逆の見方をすれば、精神分析家の教えは解放をめざす無邪気さに対する警戒であるだけなく、人間性の凄まじい破壊力（すなわち、ソヴィエト共産主義のスターリン主義への変容に見られた破壊力）に関する警告でもある。二度の世界大戦はラディカルな左派の動員に繋がり、革命に命を与え、社会民主主義の福祉国家は第二次世界大戦後に全盛期を迎えた。一九四五年にチャーチルがイギリスの選挙で敗北したときの動揺を思い出すがよい。政権についたクレメント・アトリーはカリスマ性に乏しかったが、労働党の党首として有能で、現在の尺度で測れば、非常にラディカルだった。

チリも、複数の災害の同時発生が類まれな市民の大規模動員に繋がることの証明ではないだろうか。パンデミック（と市民の抗議活動を制圧するために国家がパンデミックを利用したこと）は、APRUEBOの台頭の重要な要因だった。「災難が我々から最善と最悪を引き出す」という平凡な決まり文句が、ここでは真実に近いと思われる。

では、チリのAPRUEBOの勝利について、精神分析家は我々に一体何を言えるのだろうか。これにはまず、ラカンの〈主人のシニフィアン〉の概念から初めて、それをイデオロギーの領域に応用するのが生産的だろうと思う。

まずはチリとアメリカを比較してみる。二〇二〇年のアメリカ大統領選挙の悪い意味での驚きの一つが、トランプの支持者と考えられていた人々以外の、黒人やラティノ（貧困層でさえ）、そして多くの女性もトランプに投票したことだ。加えて、大多数がトランプに投票すると予想されていた白人高齢者の中にも、バイデンに票を投じた人が多くいた。この予想外の逆転現象は、共和党が今、民主党よりもどちらかというと労働階級に支持されていること、また、アメリカの政治主体をほぼ50対50に分かつ分断が、階級区分を直接反映したものではなく、むしろ一連のイデオロギーの神秘化と変位の結果であることを証明している。[18] 新しい「デジタル」資本家（マイクロソフト、アマゾンなど）の間では、共和党より民主党がはるかに強いし、民主党は大手銀行からの支援も控えめにだが受けている。一方、アメリカの最貧困地域の生活困窮者は、共和党のポピュリズムを支持している。こうした結果、二〇二〇年十一月、我々はこんな深刻な記事の見出しを読むことになった。「トランプは本当にクーデターを起こして、二期目を務めるのか」[19]。トランプ政権以前なら、こんな見出しは第三世界のならず者国家の記事専用だった。アメリカは今や、先進国で最初のならず者国家になる栄誉を得たのである。

この50対50の真っ二つの分断と鮮やかな対象を示すように、チリの国民投票におけるAPRUEBOは、全投票の78・27パーセントを獲得して圧勝し、対する「拒否」の意見は21・73パーセントにとどまった。残酷なのは、この圧倒的な得票差が、富と特権の集中と分配に

18. Mike Davis, "Rio Grande Valley Republicans," in *London Review of Books* 42, no. 22, November 19, 2020, https://www.lrb.co.uk/the-paper/v42/n22/mike-davis/short-cuts
19. Sam Levine, "Can Trump Actually Stage a Coup and Stay in Office for a Second Term?", the *Guardian*, November 23, 2020, https://www.theguardian.com/us-news/2020/nov/23/can-trump-actually-stage-a-coup-and-stay-in-office-for-a-second-term.

そのまま比例していることだ。つまり、国民のごく少数がエリート（「拒否」の意見）で、この社会の不平等と不正義に気づいているのが多数派（「承認」の意見）なのである。したがって、チリが他国と違うのは異国情緒的な特殊性ゆえではなく、まさにアメリカなどの他国で曖昧に変位した階級闘争を、直接目に見える形にしているからに他ならない。チリのユニークさ（例外性）は、その状況が非常に普遍的であることに由来するというわけだ。

しかし、ここで我々が退けるべき幻想は、チリの投票の傾向は顕著な階級分断をきちんと反映したもので、より「自然」であるとか、一方のアメリカで得票数が階級分断を「反映」しなかったのは、イデオロギーの操作によって歪められたのだとかいう幻想だ。〈覇権（ヘゲモニー）〉を求める政治やイデオロギーの闘争に、「自然」なものなどない。それぞれの覇権は、帰結が決まっていない闘争から得られた結果でしかないからだ。だから、チリのAPRUEBOの勝利は、イデオロギーの操作がないことの立証であるだけでなく、票の分配は階級分断を「きちんと」反映しうるものだという証明でもある。APRUEBOは、長く積極的なイデオロギーの覇権を求める闘争ゆえに勝利したのだ。

ここで、エルネスト・ラクラウのイデオロギー上の覇権を求める闘争の理論を、究極的に〈主人のシニフィアン（Master-Signifier）〉を求める闘争として用いてみる必要がある。どの〈主人のシニフィアン〉が優位に立つかだけでなく、その〈主人のシニフィアン〉がどのように政治空間全体を組織化するのかの闘争である。[20]

20. Ernesto Laclau, *Emancipation(s)*（London: Verso Books, 2007）を参照

ひとつ、明らかな例を考えてみよう。エコロジー、つまり地球温暖化や環境汚染との闘いである。否定する意見も（ますます減少しているが）あるとはいえ、ほぼ誰もにとって環境危機は今日の最重要問題のひとつであり、我々の生存そのものへの脅威になることに異論はない。エコロジーの闘いは、ラクラウが〈等価性の連鎖（chain of equivalences）〉と呼んだものの見方を変える。エコロジーは、「その他の〈シニフィアン〉」（イデオロギー的・政治的闘争の様々なテーマ）のうちどれと繋がるのだろうか。ひと口にエコロジーと言っても、国家エコロジー（強力な国家だけが地球温暖化に取り組める）とか、資本主義エコロジー（市場メカニズムだけが地球温暖化に取り組め、環境を汚染する製品に高い税金を課すことが解決策だ）とか、反資本主義エコロジー（資本主義の拡大の力学が無慈悲な自然破壊の主たる原因である）とか、権威主義エコロジー（普通の市民は環境危機の複雑さを理解できないのだから、科学に裏付けされた強力な国家権力を信頼しなければならない）とか、フェミニストエコロジー（現代の諸問題の究極の原因は、強引で搾取的な男たちの社会的権力である）とか、保守エコロジー（もっとバランスのとれた伝統的な生活モードに回帰しなければならない）とか様々である。したがって覇権を求める闘争は、エコロジーを重大な問題として受け入れるための闘争であるだけでなく、それ以上に、この単語が将来何を意味するのか、他の概念（科学、フェミニズム、資本主義など）とこの単語がどう鎖で繋がるのかを求める闘争なのである。

新しい〈主人のシニフィアン〉の付課は、通例、我々が把握しようとしているものに対して「正しい名前を見つけること」として経験される。しかし、この「見つけること」という行為はむしろ産出的である。新しい象徴領域を能動的に構築することだからだ。

チリでは、継続的な抗議活動やAPRUEBO運動の〈主人のシニフィアン〉は〈尊厳（dignity）〉である。そして、チリは特殊な例ではない。貧困と飢えと暴力にもかかわらず、経済搾取にもかかわらず、トルコ、ベラルーシからフランスまで、続発する抗議運動は常に〈尊厳〉を呼び覚ますのだ。むろん、〈尊厳〉において明らかな左派とか、解放主義とかすらもない。もしピノチェト本人に尋ねたとしたら、疑いもなく彼も〈尊厳〉を賞賛することだろう。たとえ、それが一九七三年のクーデターで全体主義左翼の脅威からチリの〈尊厳〉を守ったなどという、愛国軍事的路線の別の〈等価性の連鎖〉に含まれる〈尊厳〉だとしても。

対照的に、APRUEBOの支持者にとって〈尊厳〉とは、貧困の撲滅、ユニバーサルヘルスケアの実現、個人と社会の自由の保証といった社会正義に結び付く。〈正義〉も同じことである。ピノチェトだって〈正義〉を謳うのは間違いないだろうが、それは彼の〈正義〉であって、平等主義の経済的正義とは異なる。ここでいう〈正義〉は、すべての人、特に底辺に置かれた人が、ふさわしい場所を知るべきことを意味している。APRUEBOの勝因の一つは、彼らがこの覇権争いに勝ったことにある。だから、もし今チリで〈尊厳〉と〈正義〉が語られるなら、それはAPROEBOが象徴するものをこそ意味する。

とはいっても、政治的あるいは経済的闘争が、言説上の対立に還元できるという意味ではない。示唆されているのは、この言説のレベルがそれ自体の自律的論理を持っているということである。それは、経済的利益は象徴領域に直接転換できないという意味のみならず、経済的・社会的利益が認識されるその在り方がすでに、言説的なプロセスによって媒介されているというもっとラディカルな意味で、である。

一つのシンプルな例を示そう。一つの国が飢えているとき、飢えは事実である。しかし、問題はこの事実がどのように経験されるかだ。その飢えはユダヤ人投資家のせいなのか。それとも自然界の事実（悪天候）として認知されるのか。あるいは階級搾取の影響なのか。

もう一つ例を挙げるなら、フェミニズム。家族内での女性の従属的な役割とか女性の社会生活からの排除は、フェミニズムが登場して初めて不正義であると認識された。それ以前は、愛する人と結婚して養われ裕福な暮らしをすることが、大いなる幸運だと考えられていた。フェミニズムの第一歩は〈正義〉に向けた直接の一歩ではなく、女性が自分たちの状況は不正義だという認識への一歩である。同様に、労働者は貧しい暮らしをしているときには抗議しない。労働者が立ちあがるのは、国家だけでなく支配階級にも責任がある不正義として、自分たちの貧困を経験したときである。

こうした思考を「言説的な観念論」に向かう一歩だと即座に却下する人たちは、レーニンがどれほど政治プログラムの詳細に取りつかれていたかを思い出すがよい。レーニンは「ど

21. V.I. Lenin, *One Step Forward, Two Steps Back*, https://www.marxists.org/archive / lenin/works/1904/onestep/ で閲覧可

んな細かい違いでも、それが強く主張されれば大きな違いになる可能性がある」こと、[21]また、プログラムの中に一つの言葉があるかないかで革命の運命が変わりうることを強調した。大きく中核的な計画に関わる考えを表す言葉ではなく、むしろ具体的な状況に左右されるような言葉が重要なのである。

あらゆる疑問は「悪循環に陥る」。なぜなら、政治全体が、無数の環が連なった無限の鎖であるからだ。そして、取り落とす可能性が最も少ない環、その時点で非常に重要な環、そしてなによりも、その環の所有者が鎖全体を確実に所有できるような環を見つけ、できる限りそれをしっかり握ることに政治があるのだ。[22]

一九一七年、レーニンの革命のスローガンは「社会主義革命」ではなく「土地と平和」だったことを思いだす。自分たちが耕している土地を所有したいという願望と、戦争の終わりを見たいと言う願望だった。歴史は客観的な発展ではなく弁証法的プロセスであり、「実際に何が起きているのか」は、切り離せないほどそのイデオロギーの象徴化によって媒介されている。だからこそ、ヴァルター・ベンヤミンが繰り返し指摘したように、「歴史は過去を変える」[23]。すなわち、歴史は、その過去が歴史的記憶の一部として、現在どうあるかを変えるのである。

22. V.I. Lenin, *What Is To Be Done?*, https://www.marxists.org/archive/lenin/works/1901/witbd/v.htm で閲覧可
23. Walter Benjamin, "Theses on the Philosophy of History," in *Illuminations* (New York: Mariner Books, 2019) を参照

ピノチェトの「再正常化」が生き残り、二〇一九年十月に起きた抗議活動が早々に制圧されたとしたら、どうなっていたかを想像してみよう。さらに、この偽の正常化のプロセスにおいて、ピノチェト自身の象徴が切り捨てられ、彼のクーデターが非難の対象になっていたらどうだろう。過去のピノチェトを清算する、そんな素振りこそが、ピノチェトのレガシーの究極的な大勝利を意味することになったはずだ。そして、このレガシーが既存の社会秩序の基礎となる憲法の中に生き残る一方、独裁権力は2回の「民主的な正常化」の狭間の短い暴力的な中断に成り下がっていただろう。

だがしかし、それは起こらず、実際に歴史を変えたのは、二〇一九年から二〇二〇年にかけて現実にチリで起きたことだ。その過去から生まれた新しい物語が登場してきたのだ。ポスト・ピノチェトの民主主義は彼の支配の延長だと認識し、民主的な手段によって「非正常化する」物語である。

「新しいシニフィアンに向けて」は、一九七七年三月十五日に行われたセミネールで、ラカンが使った表現だ。学派（と自身）の誤りを認めて学派を解散した数年後のことである。[24] 理論のレベルで、この〈新しいシニフィアン〉の追求は、一九六〇年代の自らの講義の中心テーマを越えようと彼が猛然と試みたことを示す。かつてのテーマは〈現実（the Real）〉に対するこだわり、すなわち、あらゆる象徴化を逃れ、目もくらむ力の本物の行為の中で一瞬だけ対峙できる〈享楽（jouissance）〉のトラウマ的で不可能な核心にこだわっていた。だが

24. Jacques Lacan, "Vers un signifiant nouveau," Séminaire du 15.03.77, in *Ornicar?* 17/18 を参照

ラカンはもはや、そんな究極的な人間の体験としての中心的ギャップや不可能性との遭遇などでは満足しない。彼は、そのような体験の後にくる動きの中に真の課題を見ている。それが、新しい形でそのギャップや不可能性を位置づける、新しい〈主人のシニフィアン〉の創出である。

政治においては、これは、覇権秩序を分解する偉大なる抵抗などという偽りの詩情は捨て去るべきであるという意味になる。真の責務は、新しい秩序を課すことであり、そのプロセスは〈新しいシニフィアン〉と共に始まる。〈新しいシニフィアン〉なくして、本当の社会的変化はありえないのである。

イギリスの労働党は、二〇一九年の総選挙で敗北した。山ほどの理由があるが、私が考える三つの理由を述べてみる。

ある意味、この選挙はブレグジットが争点だったから、まず目につくのは二大政党の姿勢の非対称性である。保守党が「ブレグジットをやり遂げよう！」とスローガンを繰り返したのに対し、労働党の姿勢は最悪だった。支持者が離脱と残留にほぼ真っ二つであることを重々承知していた労働党は、一方を選んでもう一方の支持者を失うことを恐れた。しかし、ことわざどおり「二つの椅子に同時に座ろうとすれば、間に落ちる」のである。

さらに事態を悪くしたのは、党首コービンの本音がほぼ明らかになってしまったことだ。コービンはブレグジットに賛成だったが、期待は別のところにあった。彼はよりラディカルな左派的改革を追求するために、欧州連合の金融その他の規制からイギリスを自由にしたかったのだ。

ブレグジットについての考えはどうあれ（EU離脱にも残留にももっともな理由がある）、とにかく労働党ときたら、オープンな議論を避け、優柔不断ぶりを隠すための最悪の常套句を発

25. Hana Levi Julian, "Jeremy Corbyn Rated Top Anti-Semite of 2019 By Simon Wiesenthal Center," *Jewish Press*, December 8, 2019, https://www.jewishpress.com/news/jewish-news/antisemitism-news/jeremy-corbyn-rated-top-anti-semite-of-2019-by-simon-wiesenthal-center/2019/12/08/

した。「私たちは国民に決めてもらいます！」これがなぜ最悪か。国民は政治家に難しい判断を押し付けられたくない。政治のリーダーには明確な道を示してほしい、どっちを選択すべきかを教えてほしいのである。保守党は、しっかりとこれをやった。

二つ目の理由は、うまく仕組まれたコービン労働党党首に対する人格攻撃のキャンペーンである。コービンは、サイモン・ウィーゼンタール・センターから（本当のテロリストよりも早く！）、二〇一九年の「トップ反ユダヤ主義者」として発表された。[25] 総選挙の数日前のことだ。二〇一六年のアメリカ大統領選挙にロシアが干渉した疑惑と少なくとも同じぐらい強烈な、国外からの干渉である。

ギデオン・レヴィは、イスラエル政治に対する批判を反ユダヤ主義と一絡げにすることが、反ユダヤ主義の新しい波を生むだろうと、正しくも予見した。[26] そして、この無分別がやがてどこに行き着くかは、はっきりしている。マルクス主義が教えたとおり、反ユダヤ主義は矛先を間違った反資本主義なのである。資本主義によって生み出された社会的敵対の原因を、外部からの侵入者（「ユダヤ」人）に投影しているのだ。ここで陥りやすい罠は、さらに絶望的な一歩を踏み出し、急進的な反資本主義を一種の反ユダヤ主義だとして糾弾することなのだが、この兆候はすでに世界中で拡大している。反ユダヤ主義を煽る方法として、これほど危険な方法が他にあるだろうか。

最後の、だが結構重要な、労働党左派の敗北の理由は、私が「ピケティの罠」と呼んでい

26. Gideon Levy, "From Now On, Every Palestinian Is an Anti-Semite," Haaretz, December 8, 2019, https://www.haaretz.com/world-news/europe/.premium-from-now-on-every-palestinian-is-an-anti-semite-1.8230347

るものだ。トマ・ピケティは『資本とイデオロギー（*Capital and Ideology*）』の中で一連のラディカルな対策を提案しているのだが、ピケティ本人も完全に認識しているとおり、提案されたモデルは、国民国家の制約を超えて全世界的に実施された場合にのみ機能する。だから、それを実施する強さと権限を備えた大国の存在が前提となる。しかし、そんな世界の大国は、今日のグローバル資本主義とそれがもたらす政治メカニズムの制約の中では想像すらできない。要するに、もしそんな大国が存在するとしたら、基本的な問題はとっくに解決しているはずなのだ。ピケティの提案は、本人は実用主義としてそれを示しているが、資本主義と民主主義の手続きの枠組みの中で解決策を模索する、ユートピアン的な提案である。

もしコービンが勝っていたとして（ついでに言うと、バーニー・サンダースがアメリカ大統領になっていたとして）、巨大資本によるすさまじい、あらゆる卑怯な手段を使った猛反撃があったにちがいない。おそらく有権者は労働党の勝利の危険性を感じて、楽な試合を好んだのである。

地球温暖化から難民問題まで、デジタルコントロールから遺伝子組み換えまで、数々の問題に直面する今必要なのは、全世界的な社会の再編成に他ならない。これがどんな形で起きるにしても、二つのことは確実だ。まず、世界的な再編成はレーニン主義共産党の新しいバージョンによっては成立しないこと、そして、議会制民主主義の一環としても実現しないことだ。単に一政党がより多くの票を得て、社会民主的政策を実行することなんかで社会の再編成は起きはしない。

結局、民主社会主義者の致命的な限界にたどりつく。遡って一九八五年、フェリックス・ガタリとトニ・ネグリは、『自由の新たな空間（*Les nouveaux espaces de liberte*）』という著作をフランス語で発表したが、英訳の際に『我々のような共産主義者（*Communists Like Us*）』というタイトルに変更された。この変更の暗黙のメッセージは、民主社会主義者のそれと同じだ。「怖がらなくていいよ。僕たちも君と同じ庶民だ。何も脅したりしない。僕らが勝ったら、生活はいつも通り続くだけだ……」。そういう選択肢は、残念ながら、ありえない。我々の生存には抜本的な変化が必要で、生活はいつも通りに続かない。感情や心構えといった最も奥深いところで、我々は変わらなくてはならないのだ。

これは、イギリスの労働党やアメリカの民主社会主義等々を完全に支持すべきでないという意味ではない。抜本的な変化を実行するタイミングを待っていても、その時は決して来ない、今いるところから始めなければならないということだ。だが、これを幻想に惑わされずに、かつ、我々の未来は選挙ゲームとか社会民主的対策とかよりもずっと多くを求めていることを完全に認識して、実行する必要がある。

危険な航海が始まろうとしているのだ。我々の生存はこの航海にゆだねられている。

第八章
そうだ、ユダヤ人差別は健在だ――だが、どこで？

今、我々はシオニストによる世界的な攻撃の真っただ中にいる。その犠牲者には、イスラエルの政策に批判的な多くのユダヤ人も含まれる。その一人が、「ハマスの伝道者」呼ばわりされたギデオン・レヴィだ。十二月八日、このイスラエル人ジャーナリストはハアレッ紙にこう書いた。

反シオニズムは反ユダヤ主義だ。反占領運動はユダヤ人差別だ。そんなレッテルを貼る法律が、圧倒的多数をもって可決される。今、彼らはイスラエルとユダヤ人エスタブリッシュメントの術中にはまりつつあるのだが、その干渉の及ぶ範囲の広さが疑問視されるようになれば、逆に反ユダヤ主義に火をつける可能性がある。[27]

私はレヴィを本当の「愛国的イスラエル人」だと思っている。かつて、彼も自分をそう呼んでいた。イスラエル政治に対する批判と反ユダヤ主義とを一緒くたにすることで、返って反ユダヤ主義の新しい波が生まれるだろうという彼の予言は正しい。どのようにそれは起きる

27. Gideon Levy, "From Now On, Every Palestinian Is an Anti-Semite." *Haaretz*, December 8, 2019, https://www.haaretz.com/world-news/europe/.premium-from-now-on-every-palestinian-is-an-anti-semite-1.8230347

のだろうか。

実は、イスラエル政府は、シオニスト政治に根拠を与えようとして、破滅的な失敗を犯しつつある。いわゆる「古い」（伝統的なヨーロッパの）反ユダヤ主義を軽視し、代わりに「新しい」いわゆる「進歩的」な反ユダヤ主義に焦点を合わせることにしたのだ。イスラエル政府によると、シオニズムへの批判にこの新しい反ユダヤ主義が隠されているらしい。

かつて同様に、フランスの哲学者ベルナール＝アンリ・レヴィは、二〇〇八年の著書『暗黒時代の左派（*The Left in Dark Times*）』の中で、二十一世紀の反ユダヤ主義は「進歩的」になるか、さもなくば消滅するかのどちらかだろうと主張した。この論文は結論として、古いマルクス主義による反ユダヤ主義の解釈を反転させて、神秘化された、あるいは矛先を間違えた反資本主義として見ることを強いている（資本主義システムを非難するのではなく、そのシステムを腐敗させたとして糾弾される特定の民族グループに憤激が向けられる）。アンリ・レヴィとその支持者の目には、今日の反資本主義は偽装した反ユダヤ主義に見えているわけだ。

私がとりわけ厄介だと思うのは、アメリカのキリスト教保守派が、強烈な親資本主義的立場を、新たに芽生えたイスラエルへの愛と結び付つけていることである。彼らキリスト教原理主義者、いわば本来の反ユダヤ主義者が、なぜイスラエル政府のシオニスト政策の支援に熱心なのだろうか。このエニグマへの答えは一つしかない。キリスト教原理主義者が変ったのではなく、イスラエル政府の政策に完全には共感しようとしないユダヤ人を憎むあまり、シオニズム自体が逆説的に反ユダヤ主義になったのである。これはまさに、ルディ・ジュリアーニ前ニューヨーク市長が、ジョージ・ソロスについて言ったことである。

ソロスに反論するからといって、私のことを反ユダヤ主義などと言わないでくれ。ソロスはとてもユダヤ人とはいえない。私の方がソロスよりよっぽどユダヤ人的なくらいだ。もっと知っているぞ――彼は教会に行かないし、シナゴーグにも行かない。そもそもシナゴーグに属していないし、イスラエルを支持してもない。彼はイスラエルの敵だ。彼はアメリカの無政府主義バカトップ8にも選ばれた。ひどい人間なんだ。[28]

同様に、この「親シオニスト的立場を維持する潜在的な反ユダヤ主義」を体現しているのがトランプだ。二〇一九年十二月のイスラエル‐アメリカ評議会に先立つスピーチで、反ユダヤ主義のステレオタイプを使い、ユダヤ人は金で動かされ、イスラエルへの忠誠が足りないと断定した。この発言に対するヴァニティー・フェア誌の記事のタイトルが、すべてを言い尽くしている。「トランプ、満席のユダヤ人の前で反ユダヤ主義全開」。この記事によると、

トランプは、またも「二重忠誠」に関するあの古い決まり文句からスピーチを始めた。いわく、「イスラエルを十分に愛していない」ユダヤ人がいる、と。この軽いウォ

28. Olivia Nuzzi, "A Conversation with Rudy Giuliani Over Bloody Marys at the Mark Hotel," *New York Intelligencer*, December 23, 2019, http://nymag.com/intelligencer/2019/12/a-conversation-with-rudy-giuliani-over-bloody-marys.html

ーミングアップの後、ユダヤ人と金にまつわるステレオタイプに突進した。「君らの多くは、不動産業をやっている。君らのことはよく知っているんだ。君らは残忍な人殺しだ。いいヤツなんかじゃない」と言い放ち、「だが、君たちは私に投票しなければならない。選択肢はないいんだ。ポカホンタスには投票しないだろ、断言できる。富裕税にも賛成しない。そうさ、君らの財産を一〇〇パーセント搾り取るってもんだ」と煽った。さらに、「君らの中には私を嫌う人もいる。実際、私も君らの一部は大嫌いだ。君らが私の最大の支持者であるのは、相手が勝ったら、ものの十五分で破産するからだ。だから、この点について時間を使う気はない」。[29]

こんな発言に遭遇したら、大方はド肝を抜かれて落ち着きを失うだろう。ここに複雑な「イデオロギー批判」など必要ない。暗に示すべきはずだったことがあけすけに述べられている。彼の考え方はこの上もなく分かりやすい。君たちはユダヤ人だ。そして、それ故に、君たちは金にだけ関心があり、自分の国よりも自分の金を心配し、だから、君たちは私が嫌いだし、私は君たちが嫌いだ。しかし、自分の金を守りたいなら、君たちは私に投票するしかない。以上。

だが、そのエニグマは、それでも多くのシオニストが、なぜトランプのメッセージに好意的に反応するのかだ。そしてここでも、つじつまの合う答えは唯一、シオニズム自体が、あ

29. Bess Levin, "Trump Goes Full Anti-Semite in Room Full of Jewish People," *Vanity Fair*, December 9, 2019, https://www.vanityfair.com/news/2019/12/donald-trump-anti-semitic-remarks.

る意味、反ユダヤ主義だから、である。

イスラエルは、この点、危ない橋を渡っている。しばらく前、フォックス・ニュース（アメリカの極右の主たる代弁者で、イスラエルの拡張主義の確固たる支援者）は、一番人気の司会者、グレン・ベックを降板させざるを得なくなった。彼の発言があからさまに反ユダヤ的になってしまったからだ。

トランプは二〇一九年にホワイトハウスで行われたユダヤ教の祝日ハヌカの祝典で、物議を醸していた反ユダヤ主義に関する大統領令に署名したのだが、その場には、キリスト教のシオニスト組織「イスラエルを支持するキリスト教徒連合」の創設者で米国会長であるジョン・ハギーもいた。この人物は、標準的なキリスト教保守が掲げるアジェンダ（たとえば、ハギーは京都議定書をアメリカ経済の操作を目的とした陰謀だと見る。自らのベストセラー小説『エルサレム・カウントダウン（*Jerusalem Countdown*）』の中で、反キリスト者は欧州連合のトップだとも書いている）に加えて、決定的に反ユダヤ主義的な発言をこれまで続けている。たとえば、ユダヤ人に対するホロコースト自体は非難しながらも、ヒットラーによる迫害は、ユダヤ人にイスラエルという近代国家を作らせるための「神の計画」だったと述べた。また、自由主義のユダヤ人を「毒され」かつ「霊的に盲目」だと呼ぶし、イランへの先制核攻撃に賛成しつつ、イスラエルのほとんどのユダヤ人が死ぬことになると認めている（おもしろいことに、『エルサレム・カウントダウン』の中で、ヒットラーは「忌まわしい、大量殺人を行う混血のユダヤ人」の血統から生まれたとも主張している）。こんな友人たちに囲まれていれば、イスラエルはもう、これ以上、敵なんか必要ないだろう。

強硬派シオニストと、パレスチナとの真の対話を受け入れようとするユダヤ人との間の紛争は非常に重要な紛争だが、この紛争の背景に置かれた人々、すなわち、毎日、行政上のテロと物理的なテロ（作物は焼かれ、井戸には毒が入れられる）に晒され、周囲のアラブ政権に操られているヨルダン川西岸パレスチナ人の存在を、我々は忘れてはならない。真の紛争は「ユダヤ人」と「アラブ人」の間の紛争でもなければ、分断されたユダヤ人の集団的心理劇（そこではパレスチナ人は背景の声でしかない）でもない。正真正銘のパレスチナ人の声を聞かずして、抜け出す道はない。

第九章
完全に理にかなった行為。狂った世界の

二〇二〇年一月、アメリカがイランのガーセム・ソレイマニ司令官を殺害した。これに対して大方のリベラルは訴える。狂気の沙汰だ。長期的影響を考えない残忍な権力の誇示だ。だから、今、カタストロフィを防ぐため、すべての理性と節度の力を結集しなければならない！　そして、その標語は「イランと戦争するな！」

しかし、もしこの殺害がある意味、双方に都合よく、それぞれの立場から見て完全に理にかなっているとしたら、どうだろう。たとえば、アメリカとサウジアラビアとイスラエルが手を組んで、イランが大々的な報復に出るのを待っているとしたら？　そうなれば、イランに本格的な攻撃を加えても正当に見えるはずだし、イランが核爆弾を手に入れるのを防げるし、おまけに中東の深刻な要素としてのイランを排除できるかもしれない。

一方、イラン側については、その二か月前のニュースを思い出さねばならない。このアメリカとの新たな緊張の発生で陰に隠れてしまったが、イランではガソリン価格の高騰をきっかけにした大規模デモが起きていた。政権を支援していたはずの貧困層を含め、渦巻く不満が声になって表れたものだ。そして、これが四十年前のイスラム革命以来、最も多くの死者

を伴う政治的動乱につながった。少なくとも百八十人が死亡というが、実際はそれより数百は多いだろう。政府による無制御の力づくの弾圧によって、怒りの抗議デモが制圧されたのが真相である。[30]

この新しい無差別殺人を、一九七八年、テヘランのジャレ広場で行われた悪名高い黒い金曜日の大虐殺と比べる人は多い。この事件は一年後のモハメド・レザ・パーレビ国王の失脚につながったが、それを成し遂げたのは現在この国を支配している当のイスラム革命派であり、立場変われば人変わるだ。だが今回新しい国際緊張が生じたおかげで、悪化する経済的苦境で正当性を失いつつあったこのエリート支配層が、今ふたたび、大勢の群衆を動員して熱狂的な愛国心を誇示できるようになった。

一体、どんな経緯でこんな事態に至ったのか。過去を振り返って考える必要がある。昔の借金が今、取り立てにあっているからだ。この混乱の原因である過去の罪が、今も我々を苛んでいるのである。

この元々の罪というのは、一九五三年、穏健な進歩主義だったモサデク首相の政権転覆を狙って、アメリカのCIAがイランでクーデターを仕組んだことにある。これはおそらく、ポストモダンのクーデターの初例である。国民による騒動として計画され、反モサデクのデモに人々を動員するため、CIAは南テヘランのスラム街を仕切る二大犯罪集団を雇うことすらした。このクーデターによって、パーレビ国王はその権威主義的で世俗的な近代化を強

30. Farnaz Fassihi and Rick Gladstone, "With Brutal Crackdown, Iran Is Convulsed by Worst Unrest in 40 Years," *New York Times*, December 3, 2019, https://www.nytimes.com/2019/12/01/world/middleeast/iran-protests-deaths.html.

行することが可能になり、一方で、イスラム聖職者の権威も広げて、一般の不満をとりなしたりした。

その後、焦点はイラクに移る。イラクでは、アメリカは危険な裏表のある手段を弄した。一九七九年のホメイニ革命の直後、サダム・フセインがイランを侵攻したときには、アメリカはサダムを控えめながら支援した。サダムならイラン国内の混乱に乗じて、南西部の豊かな油田地帯を掌握できると考えたのだ。しかし、この戦略がぶざまに失敗して、サダムが今度はクウェートに目を向けるようになると、アメリカはイラク自体を攻撃して占拠してしまった。詳細で実行可能な戦後計画もなしにだ。だから結局、アメリカによるイラクの「解放」は、イランに対する防壁としてイラクを利用するどころか、現在イラクは政治的にはイランの支配下に入ってしまっている。

そして第三のステージは、ISISの台頭とともに始まった。スンニ派であるISISの標的はシーア派であり、イスラエルにとってはシーア派イランが主な脅威であったため、イスラエルは南レバノンとシリアのヒズボラに敵対するISISを、それぞれ支援(あるいは「許容」)した。そしてトルコもまた、このゲームに一枚噛んでいる。もしトルコが、シリアのクルド人地域にしているような完全な封鎖をISISの支配地域にもしていたら(ISISに示している「善意の無視」と同じことを武装クルド人にするのはもちろん)、ISISはもっと早期に崩壊していたはずだ。同様に、サウジアラビアも、シーア派イスラムに対するISIS

の攻撃を黙って歓迎した。こうしてイランは、ＩＳＩＳがいよいよバグダッドに近づいたときに、イラクの救世主として介入することが可能になったのだ（この防衛を組織したのが、ソレイマニ司令官その人だった）。同盟の相手にサウジアラビアやトルコのような国を選ぶと、こういう代償を支払うことになるのである。

こうして歴史の文脈においてみると、ソレイマニ司令官の殺害は狂気の沙汰などではなく、狂ってしまった世界における完全に理にかなった行動だと理解できる。我々が対処しなければならないのは、この基本的な狂気である。ただ単に火に油を注ぐだけのような、二次的な抑制策についてのつまらない言い争いに意味はない。

第十章
イラン危機の勝者と敗者

私が気に入っているジョークの中に、医療に関するアメリカのジョークで、いわゆる「まず悪い知らせ、次に良い知らせ……」のパターンのものがある。そのちょっと悪趣味なひとつが、これだ。

妻の長く難しい手術が終わり、夫は医師に駆け寄って様子を尋ねる。医師は言う。「奥さんは生き延びましたよ。きっと旦那さんより長生きするでしょう。ただ、いくつか合併症が残りましてね。もう肛門の筋肉がコントロールできないので、垂れ流し状態になります。それから膣から臭い黄色いドロドロが出続けるので、セックスは無理ですね。さらに、口の機能もよくなくて、食べた物がボロボロこぼれます……」。夫の顔にパニックの様相が浮かんできたの見て、医師は愛想よくその肩を叩き、微笑んだ。「心配しないで。冗談ですよ！なんの問題ありません。実は、手術中に亡くなりましたからね」。

私の良き友、カムラン・バラダランは私に手紙で、このジョークは現在のイランの状況を非常によく表していると書いてきた。アメリカがドローン攻撃でイランのカセム・ソレイマニ司令官を殺害したのち、イランがかろうじてアメリカとの全面戦争を回避した今の状況だ。まず一連の悪い知らせ、すなわち、殺害に対するアメリカ同盟国からの懐疑的な態度とか、激怒した群衆による反米運動とか、イラン側の報復が大規模な戦争の引き金になりかねない恐れとか、ソレイマニ殺害作戦の成功を手放しで喜べなくなる悪い知らせが続いた。その後、（脆い一時的な）バランスが回復したのだが、この見た目の解決が、あのジョークの落ちに似ているというのである。「心配しないで。この危機は冗談ですよ！　なんの問題ありません」と。ただ違っているのは、実は何も解決していないこと、そして我々を永遠の危機に放り込む忌々しい地政学的ゲームが、再び始まったことである。

確かにソレイマニの殺害は、双方に利益があったように見える。イランでは、この事件が国民の動員と団結の誇示とにつながり、国内の争いごとを一時的に消し去った。アメリカにとっても、イランの脅威を払しょくしうる戦争に道筋がついたように見える。もっとも、誰も本当は戦争を望んでいなかったということは確かなようだ。

さて、イランの現状はどうなっているのか。二〇二〇年一月八日のイラン軍によるウクライナ国際航空の民間機撃墜はイラン国民の不安を再燃させ、それが今、ホメイニ革命の根本を揺るがしている。強硬派の支配だけでなく、革命の基礎となる正当性までが、大っぴらに疑問視されるようになったからだ。アメリカとの緊張関係を利用して国民の支持を獲得しようとする政権の試みは裏目に出て、政権はかつてないほどの危機的状態にある。よって、前例のないウクライナ民間機の撃墜は、トランプ戦略に利しただけと言える。これでトランプはイランとの戦争を始める必要はなくなった。イランが国内の諸問題で溺れ死にしそうになっているわけだから。

とはいえ、現実としては、イラン危機が最終的にどんな結末になるかにかかわりなく、アメリカはイラクに対する掌握を急速に失おうとしている。それ以上に、中東の多くの地域から徐々に押し出されつつある。シリアにおけるクルド問題の偽りの「解決」――トルコとロシアが和平を強要し、それぞれが自国側をコントロールする状態――が、今またリビアで繰り返されつつあり、いずれのケースも、アメリカは積極的な役割から密かに身を引いた。ロシアとトルコは、ヨーロッパに圧力をかける絶好のポジションにある。両国はヨーロッパへの原油供給をコントロールしているだけでなく、難民の流入もコントロールし、これらを脅迫の手段として利用できるからだ。

しかし、実はこれがトランプの望むところだとしたらどうだろう。それを肯定する不吉な予兆が複数ある。トランプは今、関税戦争を中国からEUに移行すると脅しており、強いEUに対する嫌悪が、トランプとロシアとトルコを結びつけているのは間違いない。

では、ヨーロッパのどんな部分が、トランプとプーチンとエルドアン、その他のヨーロッパのポピュリストをイラつかせているのかというと、ヨーロッパの国境を越えた結束である。時代の難題に立ち向かうために国民国家の制約を超えて動かなければならないと、ヨーロッパが漠然と気づいていることだ。犠牲を伴う団結という古い啓蒙思想に忠実であろうと必死でもがくヨーロッパ。人類は今やひとつであり、我々はみな同じ「地球号」に乗っていて、他者の苦悩は我々自身の問題でもあるのだという事実に気づいたヨーロッパだ。だが、そういうヨーロッパは、一方にアメリカ、もう一方にロシア、両者がヨーロッパの分断を狙っているという挟み撃ち状態にある。トランプとプーチンはブレグジットに賛成し、ポーランドからイタリアまで、EU懐疑派がいたるところで幅を利かしている。

つまり、引き続く中東危機で大負けしているのは、アメリカではなく、実はヨーロッパなのである。

第十一章
本当にアメリカの道徳的リーダーシップは失われたのだろうか？
合衆国が四大勢力制になりつつある現状

二〇二〇年二月、新作映画のプロモーションでメキシコ・シティに滞在中のハリソン・フォードは言った。「アメリカは道徳的リーダーシップと信頼性を失ってしまった」。[31] そうなのか？ そもそも、アメリカが世界の道徳的リーダーシップを取っていたのは、いつのことだ？ レーガンか、ブッシュか？ いいや、彼らはかつて手にしたことのないものを失ったにすぎない。つまり、アメリカが道徳的リーダーシップを持っていたという幻想（その主張の「信頼性」）を失ったのだ。トランプ時代が、常にすでに事実だったものを目に見えるようにしただけである。

さかのぼって一九四八年、冷戦の勃発時に、この真実を残酷な率直さをもって明確にしたのが、外交官ジョージ・ケナンである。

> 我々（アメリカ）は、世界の富の五十パーセントを保有しているが、人口は世界の六・三パーセントにすぎない。この状況で、今後、我々がすべきことは、この格差の優位を

31. Ed Mazza, “Harrison Ford: America Has Lost Its Moral Leadership and Credibility,” HuffPost, February 6, 2020, https://www.yahoo.com/huffpost/harrisonford-us-leadership-095232005.html.
32. George Kennan in 1948, quoted in John Pilger, *The New Rulers Of the World* (London: Verso Books, 2002), p. 98.

維持することだ。そのためには、あらゆる感傷は排除しなければならない。人権とか生活水準の向上とか民主化とかを考えるのはやめることだ。[32]

これこそ、トランプの言う「アメリカ・ファースト!」を、より明確でより正直な言葉で表したものだ。だから、驚いてはならない。「トランプ政権は、「終わりのない戦争」を終わらせる公約を掲げてホワイトハウス入りしたが、今や、百六十カ国以上が禁止した武器を採用し、将来の使用に向けて準備を整えている。そのクラスター爆弾や対人地雷は、戦闘が終結した後も長期にわたって民間人を殺傷し続けることが知られている。にもかかわらず、ペンタゴンの将来の戦争計画に組み入れられたのである」という記事[33]を読んでも。

しかし、アメリカの道徳的リーダーシップの喪失を嘆く人々は、そんな事実には気にも止めない。彼らはトランプのスタイルにすっかり目を奪われているからだ。トランプは、良識と民主的寛容性という基本ルールを軽視する、あからさまに猥褻な政界の支配者の好例である。ジョージ・W・ブッシュ大統領の時代にホワイトハウスの上級職を務めていたペテ・ウェナーでさえ、最近「これまでも、より道徳的な大統領も、あまり道徳的でない大統領もいた。だが、道徳規範を粉砕したり、概念としての道徳の信用を失わせて心的な喜びを得る大統領はいなかった」と言っている。[34]

トランプの行動の根底にある論理を解き明かしたのが、彼の弁護に当たる弁護士アラン・

33. John Ismay and Thomas Gibbons-Neff, "160 Nations Ban These Weapons. The US Now Embraces Them," the *New York Times*, February 6, 2020, https://www.chicagotribune.com/nation-world/ct-nw-nyt-land-mines-cluster-bombs-20200209-iljfzz33zndsda5cbo2tqnlfmq-story.html.
34. John Harwood, "Trump's Historical Place Defined By His Amorality," CNN, February 12, 2020, https://edition.cnn.com/2020/02/12/politics/amorality-presidency-donald-trump/index.html.

ダーショウィッツ（ほかでもなく、合法化された拷問の提唱者）の二〇二〇年一月の発言だ。

（ダーショウィッツは）上院の議場で、政治家が自分の再選は国家の利益にかなうと考えたら、その再選という目的のために彼が取るあらゆる行動は、定義上は、弾劾できないことになると主張した。「そして、大統領が自分の再選に役立つ、それが公衆の利益になると考えて行動した場合も、弾劾につながる類の見返りとは見なされない」と。[35]

厳粛な民主主義的コントロールがまったく効かない権力の本質が、ここに明確に説明されている。

しかし、〈外観（appearance）〉に関する古典的な議論についてはどうだろう。つまり、我々は単に善人ぶって道徳的であるふりをしたとしても、それでも〈外観〉はそれ自体の現実をもっている。〈外観〉が余儀なくさせるから、直接の恥知らずの猥褻さよりもましなやり方で我々は行動する。道徳的なふりをすることが、ちょっとは道徳的であろうとさせる。あるいは、断酒の自助グループ、アルコホーリクス・アノニマスが言うように「成し遂げるまでは、そのふりをせよ」である。

〈外観〉と現実のギャップは、現実に対する批判的態度をとることをも可能にさせる。「形式的自由」に対するマルクス主義の批判が、「ブルジョア」社会は自由と平等に対する自ら

35. Stephen Collinson, “Republican Theory for Trump Acquittal Could Unleash Unrestrained Presidential Power,” CNN, January 30, 2020, https://edition.cnn.com/2020/01/30/politics/impeachment-analysis-republican-reaction/index.html.

の原則に忠実でないという識見にもとづいているという意味では、マルクス主義による批判のほうが、支配的なイデオロギー自身よりもこのイデオロギーを真剣に受け取っている。ただ問題は、いったん純粋にシニカルな猥褻の領域に入ると、そうした内在的な批判方法は地歩を失うということである。古びた礼節（それ自体、偽善的であったのだが）への回帰はもはや不可能で、ゲームオーバーだ。

トランプの弾劾に関する最近の議論で確かなのは、異論渦巻く論争を可能にするべき共通の倫理的実質が分解していることである。アメリカはイデオロギーの内戦に突入しようとしているのだが、紛争の両当事者が訴える共通の場がない。それぞれの側が自分の立場を主張するほど、対話が（反論でさえ）不可能なことがはっきりする。だから、弾劾という大統領vs議会のショーに目を奪われているばかりではいけない（トランプがペロシ下院議長の握手を拒否し、ペロシがトランプの一般教書演説の原稿を破り捨てたシーンはその典型）。本当の対立は両者の間にあるのではなく、それぞれの側の内部にあるからだ。

アメリカは、二大政党の国から、四大勢力の国へ変わりつつある。今、実際には、エスタブリッシュメントの共和党、エスタブリッシュメントの民主党、極右ポピュリスト、そして民主社会主義者という四つの勢力が政治空間を占めている。実際、すでに政党の垣根を超えた連合の提案もある。ジョー・バイデンは二〇一九年後半、共和党の中道派から副大統領を指名する可能性を示唆し、スティーヴ・バノンはトランプとサンダースの連合という自身の理想に言及した。大きな違いは、トランプのポピュリズムは共和党エスタブリッシュメントに対する覇権を簡単に握ったのに対して、民主党内の分裂はどんどん深まるばかりだということだ。民主党エスタブリッシュメントとサンダース陣営の間の闘争が、唯一継続中の真の政治闘争だから、それも当然だ。

したがって我々は、二つの敵対関係を扱っていることになる。ひとつは、トランプとリベラル・エスタブリッシュメントの間の対立（これが弾劾の真相）、もう一つは、民主党のサンダース陣営と党内のその他すべてとの対立である。トランプ弾劾の動きは、アメリカの道徳的リーダーシップと信頼性を取り戻すための必死の試み、すなわち、偽善に満ちた喜劇だった。だから、民主党エスタブリッシュメントの道徳的熱情にも、我々は騙されてはならない。トランプのあからさまな猥褻さは、すでにそこに常にあったものを明らかにしたに過ぎないからだ。サンダース陣営には、これがはっきりと分かっている。戻る道はない。アメリカの政治は抜本的に作り変える必要がある。

政治史を専門とするジュリアン・ゼライザーは、トランプによるあらゆる反労働者・反連帯の政策を列挙し、トランプがいかに政治権力行使の不文律を体系的に破っているかに注目している。「礼儀正しさに関して言えば、すべての大統領はある種の暗黙のガイドラインを守ってきた。だが、この大統領はそのすべてを窓から放り投げている。市民文化を台無しにするような毒の強い大統領発言を常態にしてしまった」[36]とし、民主党の主流はラディカルす

36. Julian Zelizer, “The Most Radical 2020 Candidate,” CNN, February 16, 2020, https://edition.cnn.com/2020/02/15/opinions/most-radical-2020-candidate-trump-zelizer/index.html.

ぎる候補者を指名する危険性に捉われるあまり、重要な点を見落としていると結論する。それは、「公共政策と政治権力の行使に関して言えば、サンダース上院議員を含め、どの候補者も現職大統領の「急進主義」に到底、匹敵しえない」ことだと。

弾劾裁判の聴聞会を含め、トランプを「ほどほど」にさせようという試みは、彼をさらに彼特有の急進性の極みに押しやることになった。アメリカが学ぶべき教訓は、トランプの急進性はそれでも、既存のシステムを守ることを目的としているということだ。ことわざに言うように、トランプは基本的に変わらずにいられるために変化させているのだ。古い「日常」の礼儀正しさに戻るには手遅れだ。だから、トランプを本当にやっつける唯一の方法は、彼と正反対のこと、慎みと作法をもって振る舞いながら、行動の中身を抜本的に変化させることしかない。真の道徳的マジョリティーの声が聴かれるべきときである。

とは言うものの、サンダースは本当に代わるべき選択肢なのか、それとも一部の「ラディカルな左派」が言うように、制度を維持したい（むしろ穏健なの）社会民主主義者に過ぎないのか。答えは、この二者択一が二者択一として偽りだということだ。アメリカの民主社会主義者は、ラディカルな再覚醒の国民運動を始めはしたが、その運動の未来は定まっていないからだ。

確かなことはひとつ。想像できる最悪の態度は、一部の西側「ラディカルな左派」がとる態度——先進国の労働者階級を、第三世界の搾取で生活し、人種差別的・熱狂的愛国主義のイデオロギーに囚われた「労働貴族」だと切り捨てる態度だ。この考え方にしたがうと、唯一の抜本的変化は、革命の主体としての「放浪のプロレタリア」（移民と第三世界の貧困層）によって（おそらくは、先進国の一部の疲弊した中流有識者との連携で）のみ可能ということになる。本当にこの分析は有効なのか。確かに現在の状況はグローバルだが、対立するブルジョア国家とプロレタリア国家だけで世界ができているというような単純すぎる毛沢東主義的意味ではない。また、移民といっても、従属的なプロレタリアで、その立ち位置は非常に個別的である。多くはマルクス主義的な意味では搾取されていないし、ラディカルな改革の主体になるべく運命づけられているわけでもない。それゆえに、この「ラディカルな」選択は左派にとって自滅的だと考える。むしろ、サンダースは無条件に支持されるべきという立場を私は維持する。

この闘いは残酷なものになるだろう。サンダースへの批判は、彼の左派的すぎる政策を根拠に、サンダースではトランプに勝てない、焦点はトランプの排除にあると何度も繰り返す。だが、この主張に隠された本音は、もしトランプとサンダースの間の選択になったら、我々もトランプを選ぶということだ。たとえ奇跡的にサンダースが民主党の大統領候補に指名されても、そして、彼が（もっと奇跡的に）大統領選挙に勝ったとしても、身の毛もよだつ逆襲に見舞われることだろう。ゴールドマン・サックスの元CEOロイド・ブランクファインは、サンダースはアメリカ経済を「破滅」させるだろうと言った。[37] これは事実に対する中

37. Dominic Rushe, "'This Is What Panic Looks Like': Sanders Team Hits Back After Wall Street Criticism," the *Guardian*, February 13, 2020, https://www.theguardian.com/us-news/2020/feb/13/sanders-campaign-criticizes-panic-from-wall-street-elite-after-new-hampshire-win

立な発言ではないが、「サンダースが勝つぐらいなら、自分の経済的破滅の方がましだ」という本音を表している。

しかし、我々に選択の余地はない。行く先の荒波を重々承知して、この闘争に身を投じなければならないのだ。

第十二章
ほどほどに保守的な左派を求める嘆願

フランスの公共交通機関の労働者によるストライキは、二〇二〇年を通じて長引き、一部のコメンテーターは、フランスがある種の革命的瞬間に近づいていると憶測を始めている。実際は全然そんなことはないのだが、フランス国家（新しい統一された年金制度をめざす）と労働組合（苦労して手に入れたと考える権利に対し、いかなる変更も拒否する）の間の紛争に妥協の余地がないことは確かである。

ストライキを続ける人々に左派が同情し、苦労して手に入れた老後の安心をマクロンが奪おうとしていると訴えるのはあまりにも安易である。そうではなく、地下鉄その他の公共交通機関の労働者は、まだストライキをする余裕がある人たちであることに気づかねばならない。国から終身雇用され、交通公共機関という分野ゆえに交渉に強い立場を持っている。充実した年金制度を手に入れたのもそれゆえだ。打ち続くこのストライキは、まさにこの特権的な立場を維持することが核心にある。

もちろん、彼らがようやく手に入れた、今日のグローバル資本主義が無視しがちな福祉国家の要素を維持する闘争は、何ら間違っていない。問題は、この特権的地位に恵まれていない人々（不安定な立場の労働者、若者、失業者など）の（同様に正当化されるべき）視点からすると、ストライキに打って出られる労働者は、自分たちの破滅的な状況の原因を作る〈階級の敵〉にしか見えないことだ。レーニンが〈労働貴族〉と呼んだものの新しい形である。権力者にしてみれば、この絶望感を易々と操作して、まるで移民を含む本当に困窮する労働者に代わってスト参加者が不当な特権と戦っているかのように見せてしまうことができる。

さらに、もうひとつ忘れてはならない点は、公共交通機関の労働者たちが、その要求をマクロン政権にぶつけていること、そして、マクロンはせいぜい既存の経済・政治制度を擁護するだけだということだ。確かにマクロンは、実利的経済現実主義と統合ヨーロッパの明確なビジョンとを結びつけ、かつ、頑なに反移民レイシズムとあらゆる形のセクシズムに反対している。それでも、ストライキの労働者たちが、マクロンの夢の終わりを告げている。

新たな希望を示したマクロンに向けられた、あの熱狂を思い出す。右派ポピュリストの脅威を打倒する希望だけでなく、進歩的ヨーロッパのアイデンティティというビジョンを掲げたマクロンには、ハーバーマスやスローターダイクといった真反対の哲学者ですら、賛意を示した。当時、マクロンに対する左派のあらゆる批判も、彼のプロジェクトの致命的な限界に対するあらゆる警告も、対立候補マリーヌ・ル・ペンを「客観的」に支援することになるからという理由で却下されたのが思い出される。

今日、長引くフランスのストライキを前にして、熱狂的マクロン支持の悲しい真実を我々は容赦なく突きつけられている。マクロンは今あるシステムとしては最善かもしれない。しかし、彼の政治は、あくまで進んだテクノクラシーのリベラル民主主義という座標の中にある。

それなら、マクロンを越える政治的オプションとは何か。ジェレミー・コービンやバーニー・サンダースといった、マクロン以上に思い切った政策の必要性を訴える左派政治家がいる。既存の資本主義秩序の基本的な座標を変え、それでも資本主義と議会制民主主義の基本的な枠組みの中に残るという方向性を示している。だが、彼らは必然的に行き詰まる。ラディカルな左派が彼らは真に革命的でないとか、通常の議会制度を通じて抜本的変化が起きるなんて幻想に捉われ過ぎとかといって批判する。一方、マクロンのような穏健な中間派も、ラディカルな左派が訴える政策は十分に練られていないから経済危機を引き起こすと警告する（コービンが二〇一九年のイギリス総選挙で勝利していたとして、その直後に巻き起こったであろう金融界・産業界からの反撃を想像すると……）。

ある意味、いずれの批判も正しい。ただ問題は、これらの批判が形成されるいずれの立場も機能していないことだ。現在起きているフランス国民の不満は、マクロンの政治の限界をはっきりと示しているし、もう一方の革命を求める「ラディカルな」呼びかけは、国民を動員できるほどの力を持たず、どんな新しい秩序を課すのか明確なビジョンを打ち出せていないではないか。

だから、逆説的に、唯一の解決策は、(少なくとも当面の間は)サンダースやコービンによる政治の片棒を担いでみることだ。彼らだけが実際の大規模なムーヴメントを実現できることは、すでに証明されている。我々は辛抱強く取り組む必要がある。そして、予期せぬ環境危機であろうと、すでにある国民の不満の暴力的な爆発であろうと、新しい危機が襲ったときに備えて準備しなければならない。ラディカルな左派は危機のさなかに権力を握ろうなどという陰謀に加担してはならない(二十世紀の共産主義者がそうしたように)。そして、危機が訪れたときには、パニックや混乱を防ぐよう綿密な対応が必要だ。

ひとつの金言が指針となるはずだ。真の「ユートピア」はラディカルな変革の可能性ではなく、いつまでも続いていく状態であるというものだ。社会の根本を弱体化させてしまう真の「革命を起こす者」とは、外部のテロリストでも原理主義者でもなく、グローバル資本主義のダイナミクスそのものである。

文化にも同じことが言える。今日の文化戦争は、強固な価値体系を信じる伝統主義者と、倫理規範や性自認などを偶発的な権力闘争の結果と考えるポストモダン相対主義者との間で争われる闘争だと言われることが多い。だが、本当にそうなのだろうか。今日の究極のポストモダニストとは、保守派自身である。伝統的権威がその実質的な力を失えば、もうその権力に戻ることは不可能である。今日、そうした回帰はすべて、ポストモダンのフェイクである。トランプは伝統的な価値を実行するか。しない。彼の保守主義はポストモダンのパフォーマンスであって、壮大なエゴ・トリップにすぎない。「伝統的価値観」を弄びながら、伝統への言及とあからさまな猥褻性と取り混ぜる、そんなトランプこそ、究極のポストモダン大統領であり、逆に、サンダースは古風なモラリストである。

それが、私が「ほどほどに保守的」な左派と呼ぶものである。わずかな道徳上の罪の意識と共にポストモダンの強迫観念を捨て去り、臆面もなく真の道徳的マジョリティーの声を自認する左派である。

今、かつてないほどに、普通のまともな人々は、我々の敵ではない。

第十三章

アマゾンが燃えている――だから何？

アマゾンの熱帯雨林の火災が、新聞の見出しから消え始めていた二〇二〇年七月中旬。ブラジル政府がアマゾンの焼き畑を禁止してから二日以内に、四千件近い火災が新たに発生したことを我々は知った。警報を鳴らさざるを得ない数字だ。アマゾンの熱帯雨林を破壊することで、我々は「地球の肺」を殺しているのであり、いわば集団自殺への止められない行進を加速させているのだ……。

だが、環境への脅威に真剣に立ち向かうつもりであれば、想像力を酔わせるせっかちな〈外挿〉は避けるべきである。たとえば、二、三十年前、ヨーロッパでは誰もが「ヴァルトシュテルベン」こと「森林の枯死」を話題にし、週刊誌は軒並みこれを表紙の見出しにしていた。半世紀でヨーロッパに森は無くなるだろうという予想もあった。だが今や二十世紀よりもヨーロッパの森は増え、我々は別の様々な環境問題に気づき始めている。

エコロジーの脅威はきわめて深刻にとらえるべきではあるが、この分野においては、分析や予想は不確実であることも十分意識する必要がある。逆に言えば、何が起きているか確実に分かるのは、手遅れになったときである可能性が高いのだ。だから、手っ取り早い〈外挿〉をするのは避けたいし、「恐怖のエコロジー」、つまり、迫りくるカタストロフィに病的に陶酔することに加担するのも避けたい。それは、地球温暖化否定論者を喜ばせるだけだ。

この「恐怖のエコロジー」は、グローバル資本主義という支配的イデオロギーに発展する可能性が高い。グローバル資本主義は、衰退する宗教の役割に取って代わる大衆の阿片である。宗教が持つ根本的な機能、すなわち、人々に制限を課す絶対的権威を設定する機能を奪い取る。だからこそ、「恐怖のエコロジー」は、我々の有限性をしつこく力説する。人間は、その視野をはるかに超える生物圏のなかに組み入れられた、地球上の一つの種でしかないというメッセージである。

天然資源の搾取において、我々は未来から借り入れをしている。したがって、敬意を持って地球を扱うべきである。完全には暴いてはいけない何か究極の聖なるものとして——支配ではなく、信頼すべき力として。我々はこの生物圏を完全に熟知することはできないが、不幸にも、狂わせバランスを崩壊させる力は持っている。その結果、自然は猛り狂って、そのプロセスの中で我々を消し去ろうとする。だから、エコロジストがライフスタイルの抜本的な変化を常に求めるとしても、この要求の根底にあるのは逆の態度、変化と発展と進歩に対する深い不信だ。あらゆる抜本的な変化は、カタストロフィという予期せぬ結果を招きうるからである。

たとえ我々が恐怖を克服し、環境破壊の責任を負う覚悟を口にしても、それは真の脅威を避けようとする小ズルい計略にしかならない。実は、環境に与える脅威についての罪悪感を進んで引け受けることには、案外、人を安心させる何かがある。有罪でありたいと思うのは、この場合、すべて我々次第であるからだ。我々がカタストロフィを操作できるのなら、生活を変えさえすれば生き延びることができる。

逆に、我々（少なくとも西側の我々）にとって本当に受け入れがたいのは、ただ座して運命が展開するのを見守るだけという、純粋に受動的な無能な傍観者の役割に甘んじることだ。だからそれを避けるために、狂気じみた強迫観念に取りつかれた行動に走りがちである。やれ古紙のリサイクルだ、やれオーガニック食品を買うだと、単に自分たちは何かをしている、貢献していると確かめるためだけに行動する。そんな我々はまるで、家のテレビの前でひいきのチームを応援するサッカーファンのようだ。ゲームの結果を左右するという迷信じみた信念で、励ましたり、けなしたり、ソファから飛び上がったり。

〈フェティシストの否認〉的に適切なエコロジーの典型は、「よく分かっているよ（僕らが皆、危機的状態にあることは）。でも、それを心の底からは信じられない（だから、暮らし方を変えるという点では、何も意味あることをする覚悟がない）」となる。しかし、正反対の形の〈否認〉もある。「よく分かっているよ。破滅に繋がるかもしれないプロセスに、大した影響を与えられないことは。でも、それでも、これを受け入れるのは衝撃が強すぎる。だから、何かをしなくちゃという衝動を抑えられない。たとえそれが最終的に意味がないと分かっていても」。

オーガニック食品を買うのも同じ理由からではないか。腐りかけたような高価な「オーガニック」リンゴが本当に健康的だと、誰が心から信じているのか。大事なのは、それを買うことを通じて、単に製品を買って消費するのではなく、同時に意味のある何かをすること、自分の気遣いとグローバル意識を示すこと、ある大きな集団的プロジェクトに参加することなのだ。

一般的なエコロジーのイデオロギーにおいて、我々は〈先験的〉に有罪、「母なる自然」に対して永久に借りがある者として扱われる。つまり、我々はエコロジーの〈超自我〉から絶え間なくプレッシャーを受け、個人の中で呼びかけられる。「自然への借りを返すために今日は何をした？　古新聞はちゃんとリサイクル用の袋に入れたか？　ビールの瓶やコーラの缶は？　自転車や公共交通機関で行けたのに車を使った？　ちょっと窓を開ければいいのに、クーラーを使った？」このような個人化というイデオロギー的利害は、簡単に認識できる。私も産業文明全体についてもっと適切な世界的な疑問を提起もせず、自己分析に没頭してしまうということだ。

だから、エコロジーはイデオロギーの神秘化に容易に役立つ。ニューエイジの蒙昧主義の口実として（前近代的なパラダイムなどを賞賛したり）、あるいは、新植民地主義の口実として（第三世界諸国の急速な発展が人類全体を脅かしている、という第一世界の不満を装ったり）、あるいは、「グリーン資本主義」を称える栄誉の理由として（環境に配慮した製品を買おう、地元で買おう……まるでエコを考慮することが資本家の搾取を正当化するかのように)。このような緊張はすべて、アマゾン熱帯雨林の火災に対する一般的な反応に顕著に認められる。

エコロジーに与える脅威の大きさを曖昧にするのに使われる戦略は、主に五つある。

(1)単純な見ないふり。関心を寄せる価値もない出来事だ。どうせ自然は自分で自分をケアするし。

(2)科学技術が助けてくれるさ。

(3)市場に任せる。汚染物質の排出企業には高い税金をかけよう。

(4)大がかりな体系的な対策ではなく、個人の責任を強調する。一人ひとりがリサイクルや、消費を控えるなどできることをすべきだ。

(5)自然のバランスへの回帰。質素な伝統的な暮らしへ戻り、人間の思い上がりは捨てて、再び〈母なる自然〉の敬虔な子供になろう。

この最後の一つが、おそらく最悪だ。「我々の傲慢さによってバランスを失った〈母なる自然〉」というパラダイム全体が、間違っている。我々の主なエネルギー源(石油、石炭)が、人類の出現より前に起きた過去のカタストロフィの遺物であるという事実が、はっきり思い知らせてくれる。〈母なる自然〉は、冷酷な女だと。

これは、むろん、気楽に運命を信じるべきなどという意味ではない。生態系で何が起きているかがよく分からないという事実も、状況を一層危険にしている。加えて、急速に明白になっているように、人間の移住が地球温暖化のような生態系のかく乱と結びつこうとしている。国連特別報告者フィリップ・アルストンが名付けた「気候アパルトヘイト」の拡大の中で、生態系の危機と難民危機がオーバーラップするようになっているのだ。二〇一九年の報告書の中で、アルストンは「富裕国は気温上昇や飢餓や紛争から逃れる費用を払えるが、残りの国々は取り残されるという「気候アパルトヘイト」の危険がある」と指摘した。[38] 地球規模排出に最も責任のない人々が、自分たちを守る力が最も弱いのだ。

そこで、レーニン主義的疑問だ。何をなすべきか。我々が置かれた奥深い混乱に対するシンプルな「民主主義的」解決策はない。人々が自分で（国や企業だけでなく）決定するべきという考え方がしばしば示されるが、これは重要な疑問を提起する。たとえ人々の理解が企業の利益によって歪められないと仮定しても、こんなデリケートな問題の判断を下す資格が人々にあるのか。

加えて、一部のエコロジストが提唱する急進的な対策は、それ自体が新しいカタストロフィの引き金になりうる。太陽放射管理という構想を例にとろう。大気中にエアロゾルを継続的に大量に噴霧し、太陽光を反射したり吸収したりして、地球を冷却するという構想である。この構想に伴うリスクには、作物の収穫が減る、水の循環に回復不能の変化が起き

38. Damian Carrington, "'Climate Apartheid': UN Expert Says Human Rights May Not Survive," the *Guardian*, June 25, 2019, https://www.theguardian. com/environment/2019/jun/25/climate-apartheid-united-nations-expert-says-human-rights-may-not-survive-crisis の中で言及

る、もちろんその他の「不明な不明」もある。地球の壊れやすいバランスがどう機能しているかも、そんな地球工学がどんな予想不可能な形でバランスを崩すかも、我々には想像できない。

だから、我々にできることは、少なくとも優先事項を整理すること、そして、皆で奪い合っているこの地球自体が脅威にさらされているときに、地政学的戦争ゲームをやっているバカバカしさを認めることだ。ヨーロッパがブラジルを非難し、ブラジルがヨーロッパを非難する、馬鹿げたゲームは終わらせなければならない。生態系に対する脅威は、主権国家国民の時代が終焉に近づいていることを明らかにしている。必要な対策を調整する力を持った、強力な世界的な機関が必要だ。そして、そんな機関が必要だということ自体、我々がかつて「共産主義」と呼んだものの方向を指し示しているのではないだろうか。

第十四章
同情ではなく、ラディカルな変化を

地中海の難民救助船イウヴェンタ号の船長ピア・クレンプは、二〇一九年に受賞が決まったパリ市大金章を辞退した。その理由を説明する会見の締めくくりに、彼女はスローガンを掲げた。「書類と住居をすべての人に。移動と居住の自由を！」[39]。この要求が（長い話を端折って）「すべての個人は自らの選択する国へ移動する権利を持ち、その国はその個人に住居を与える義務を負う」という要求であるのなら、この話は、厳密にヘーゲルのいう意味での抽象的なヴィジョン——社会の全体性の複雑な文脈を無視したヴィジョンについての話ということになる。

難民問題は、この側面からは解決できない。唯一の真の解決策は、移民を生み出す世界経済システムを変えることである。だから我々のすべきことは、世界の状況に内在する様々な対立の分析を直接批判することから一歩離れ、批判的立場それ自体が、その批判している現象にどう加担しているのかを注視することだ。

マーガレット・サッチャーのような保守派なら、隣人に対する過剰な愛情を批判し、「こういう愛情は、合理的な制限内に留めなければならない」などと言って、「汝の隣人を愛せ

39. "Pia Klemp Refuses the Grand Vermeil Medal Awarded to Her By the City of Paris," *Redazione Italia*, August 21, 2019, https://www.pressenza.com/2019/08/pia-klemp-refuses-the-grand-vermeil-medal-awarded-to-her-by-the-city-of-paris/.

よ」の教えの評価をラディカルに変更してしまうところだ。この「隣人を愛せよ」という実行不可能な命令は、カントの名言「君はなしうる。なぜなら、なすべきだからだ！」に従って実行するしかない定めなのだが、ひっくり返せば、「なしうることだけをなすべきである。やっと手に入れた幸せを乱す必要はない」となり、なるほど「現実主義者」の戦略的思考になる。

だが、ここで私が論じているのはそんな実用主義の「中庸」などではなく、まったく逆に、「隣人を愛せよ」の命令のもっとラディカルな先鋭化だ。苦境にある隣人を本当に愛するためには、贅沢な食卓からパンくずを気前よく与えるだけでは到底足りない。隣人の苦境を作っている状況そのものを撤廃しなければならないのだ。

最近のテレビ討論[40]でのドイツ左翼党の中心人物グレゴール・ギジの発言は、気が利いていた。移民に反対する論者が、「第三世界諸国の貧困や恐怖に責任を感じないし、各国は彼らを救うために税金を使うのではなく、自国の市民の福祉にのみ責任を負うべきだ」と強硬に主張したのに対するギジの反論だ。その反論の要点は、もし、第三世界の貧困層に責任を負わない（そして適切に行動しない）のなら、彼らはこっち側、つまり私たちの所にやって来るだろう（もちろん、反移民主義者はそれに猛烈に反対）というものだ。この返答は皮肉じみて非倫理的に聞こえるかもしれないが、抽象的な人道主義よりもはるかに適切である。

人道主義のアプローチは、我々の寛容さや罪悪感に訴えかける（「彼らに心を開くべきです。

40. https://www.youtube.com/watch?v=bM0AIh3buig からアクセス可

特に、彼らの苦しみの究極の原因は、ヨーロッパの人種差別と植民地支配なのですから」)。そして、この訴えはしばしば、強力な経済的理由に結び付けられたり(「ヨーロッパが経済的な拡大を続けるためには、移民が必要なんです」)、右派にこそ似合う人口をめぐる巧言に結び付けられたり(「ヨーロッパの出生率は低下の一途で、活力を失いつつあります」)する。だが、その作戦の腹の内は明白だ。「移民に門戸を開こう。本当はラディカルな変化が必要なのだが、まあ、それは回避して、あくまでリベラル資本主義の秩序を維持するための窮余の策として受け入れておこう」。だが、ギジの反論の論拠はこれと真逆である。ラディカルな社会経済の変化だけが、我々のアイデンティティ、我々のライフスタイルを本当に守ることができるというものだ。

ただし、この有力な「グローバルな左派」人物の問題点は、一方で、「我々のライフスタイル」や文化の違いについての議論は、グローバル資本主義にある個人の根本的なアイデンティティを隠す(あるいは、むしろ、平滑化する)反動的なハンティントン的態度と見なして一切拒否しながら、同時にもう一方で、移民の文化的アイデンティティを尊重せよ、自分たちの文化基準を移民に押し付けるな、と要求していることである。

この批判に対して当然予想される反論は、我々が覇権を握っているのだから、「我々のライフスタイル」と「彼らのライフスタイル」は非対称だというものだろう。正当な論点だが、これもまた、〈解放〉を求める闘争における普遍性の意味という問題の核心を避けている。難民は卓越した「隣人」、厳密な聖書の意味での「隣人」、裸の存在に還元された〈大文字の他者〉である、というのは多くの点で真実だ。なに一つ所有せず、家もなく、社会の中に決まった地位もない難民は、人間であることの普遍性を象徴しているからだ。だから、我々がいかに難民と関わるかは、人間性そのものとどう関わるかを示しているのだ。難民が我々と違っているのは、どんな集団もそれぞれ違っているという意味だけではない。難民は、ある意味、〈相違〉そのものなのである。

しかし、正しくヘーゲル的な考え方では、普遍性と特殊性がここで一致する。難民が身一つでやって来るというのは物質面に限ることであり、だから余計に、自分たちの文化的アイデンティティに固執しているように我々には見える。難民は普遍的で社会に根を張っていない存在として、だが同時に、自分たちの固有のアイデンティティから逃れられない存在として認識されるのである。

非定住（nomadic）の移民はプロレタリアではない。アラン・バディウなどは「非定住プロレタリア」は今日の典型的なプロレタリア階級だという言い方をするが、プロレタリアがプロレタリアたる所以は搾取されているという事実である。プロレタリアは資本の価値増殖には重要な意味を持ち、その労働が剰余価値を生む。だから、難民とは画然とした違いがある。難民は無価値と見なされるだけでなく、グローバル資本の無益な残余として、文字どおり「価値がない」。つまり、難民の大多数は、資本の価値化のプロセスには含まれていないのである。

一九六〇年代のドイツやその後のフランスで起きたように、移民の新しい波が資本家の機械と統合されるという夢を、左派も資本家も同様に見ている。だから彼らは「ヨーロッパには移民が必要だ」と主張する。だが、今回はそういかない。移民の多くは社会的に統合されることなく、その大部分は「外部」のままである。この事実が難民の状況をより悲劇的にする。難民は一種の社会的辺獄（未洗礼者が死後に行き着くところ）に捉われ、原理主義者がその袋小路からの偽の出口に誘ったりする。グローバル資本の循環の視点から見れば、難民は「剰余人類」（鏡に映った剰余価値）の立場に置かれ、人道主義的な支援や寛容もこの緊張状態を解決できない。これを解決できるのは、国際的な体制全体の再構築だけである。

移民が逃げ出してきた貧困や戦争を解決するために、第三世界諸国の状況を変えようという議論は、左派リベラルの目には、難民が自国に来るのを防ぐための賢明（でもない）言い訳に見えることが多い。だが、これにははっきり反論する。厳格に対称性を持って難民に心を開いても、難民を生み出す世界的な状況を変えるためには何の役にも立たない、賢明（でもない）方法である。

人道主義の虚偽は、人間中心主義の拒否に見られるディープ・エコロジーの虚偽と同じである。その中には深い偽善がある。我々人類が地球上のあらゆる生命に対していかに大きな脅威になっているかの議論は、結局は自分たち自身の運命に関する心配でしかないからだ。地球それ自体は、まったく意にも介さない。たとえ人類が地球上のすべての生命を絶滅させても、地球にとってはカタストロフィの一つ（最大のものですらない）に過ぎないだろう。

だから、我々が環境について心配するとき、心配しているのは自分たちの環境。自分たちの生活の質と安全を確保したいだけだ。ディープ・エコロジー提唱者は、あらゆる生き物の代表者であるかのように振舞うが、言ってみれば、白人の反ヨーロッパ中心主義者と似た立ち位置にある。自分たちの文化的アイデンティティはきっぱりと否定しながら、他者にはアイデンティティの主張を求めることで、自分たちの普遍の立場を確保するのである。

ここで学ぶべき一般的な教訓は、抑圧を受けている人々を安っぽい人道主義で感傷化するのは、是が非でも避けなければならないことだ。この理由だけで、映画『パラサイト』（二〇一九年韓国、ポン・ジュノ監督）は大いに観る価値がある。この映画は、負け犬をフランク・キャプラのスタイルで道徳的に理想化することを徹底して避けている。内容と形式の対比を使うと考えやすい。内容の面では、上級階級のパク家は疑いなく道徳的に優れていて、思慮深く思いやりがあり、社会の役に立っている。一方、負け犬一家も寄生虫のように侵入し、操作し、搾取し、と要領よく行動する。しかし、形式の面では、やはりパク家は思いやりと人助けの余裕を持つ特権階級であり、負け犬一家は、その物質的な状況ゆえに、あまり有り難くない行動へと追い詰められていく。

これは、男がよくつぶやく反フェミニスト的な不満と同じだ。「女性には親切に、うんと下手に出ているのに、彼女らは僕に非常に攻撃的だ」とこぼす。そりゃそうだ。彼女らにとっては、攻撃性だけが形式的な服従に対抗する唯一の方法だからだ。原則として、親切と同情を示す余裕があるのは、上の立場にいる側だけである。

となると、解決策は人道主義的なゲームなどではなく、そもそも人道主義を必要とするような状況を変えることである。オスカー・ワイルドは、『社会主義下の人間の魂（*The Soul of Man under Socialism*）』の冒頭にこう書いている。

（人々は）自分が忌まわしい貧困に、忌まわしい醜悪に、忌まわしい飢餓にとりまかれているのを知るのである。こうしたものにかれらが強く動かされるのは避けがたい。（…）したがって、狙いは誤ってはいるが天晴な意図をもって、かれらは目にするもろもろの悪を矯正する仕事にとても真剣にとても感傷的にとりかかるのである。ところがかれらの治療は病気を直さない。長引かすだけである。それどころか、治療そのものが病気の一部なのである。

かれらは、たとえば、貧しいものを生かしておくことで、もしくは、進歩派の場合には、貧しいものを楽しませることで、貧困の問題を解決しようとする。

しかしこれは解決ではない。困難の悪化にすぎない。正しい目的とは貧困などありえないような基礎の上に社会を再建しようとすることである。そして愛他主義的な美徳こそ、実はこの目的の遂行を妨げてきたのである。[41]

41. Oscar Wilde, "The Soul of Man under Socialism," (1891), https://www.marxists.org/reference/archive/wilde-oscar/soul-man/
『オスカー・ワイルド全集 4』西村孝次訳　1989 年 青土社

第十五章

トランプ対ラムシュタイン

アメリカの学界で、最近、ある非常に奇妙な出来事があった。

教育省は、水曜日（二〇二〇年九月十六日）プリンストン大学学長に宛てた書簡で、非差別的な教育を実施しなかった疑いで、同省が大学の調査を開始すると通告した。この調査は、クリストファー・L・アイスグルーバー学長が学内に対して発した、制度的な人種差別と闘う取り組みについての九月二日付の文書を受けて行われるものである。学長はこの文書の中で、「人種差別とそれが有色人種にもたらすダメージは、我々の社会と同様、プリンストンにも依然としてある。それは故意によって行われる場合もあるが、より多くの場合、未検証の思い込みやステレオタイプ、無視や鈍感さ、そして過去の判断や政策の体系的なレガシーを通じて行われる」と書いた。教育省は、通告の中でこの部分を学長が「人種差別を認めている」証拠だと指摘し、大学による非差別の保証が「虚偽だった可能性」があり、大学が一九六四年の公民権法第四条に違反したとの見方を強めている。

42. Elinor Aspegren, “Department of Education Launches Investigation into Princeton University over ‘Admitted Racism,’” *USA Today*, September 18, 2020, https://www.yahoo.com/news/department-education-launches-investigation-princeton-005054478.htm.

教育省の通告は、確かに曖昧である。表面的には、人種差別のわずかな痕跡にも徹底調査を求めるお決まりの超自我の呼びかけに読め、細かいことに拘り過ぎだと反論すれば済むことかもしれない。そもそも、アイスグルーバー学長の表現の中で、差別は「我々の社会と同様、プリンストンにも依然としてある。それは故意によって行われる場合もあるが、より多くの場合、検証されていない思い込みやステレオタイプ」で行われるという部分は、標準的なリベラルの言い回しである。「人種差別との闘いは決して終わらない。いつまでも残る目立ちにくい形の人種差別は常にある」という意味であり、逆に、我々のコミュニティに人種差別はないという主張の方が自動的に疑わしく、それ自体が人種差別のサインだといえる。だが、教育省の書簡は、学長の言葉を文字どおりの純粋な罪の告白と取り、さらなる措置を要求したのである。これは、たとえば、ベストセラーの著者が、自分の著作は決して完全ではないと認めると、ジャーナリストが「不完全だと知っていて、なぜそのまま出版したんですか？　なぜもっと調べなかったんですか」と著者に質問するのに似ている。

しかしながら、修辞的な言葉のあやを文字どおりに読もうとすること自体、何か別のことのサインなのではないだろうか。キャンパスに人種差別があるかないかの問題ではなく、学長があまりにもオープンにそれを認めたという事実こそが、プリンストン大学に対する非難の本当の意味ではないのか。つまり、教育省からプリンストン大学へのメッセージは、「人種差別は控えめにやれ、大っぴらには認めるな」だ（トランプ支持者が、ポリコレなリベラルにこっそり提案しそうなことと同じだ)。

最近見られたポリコレな規制の例として、もうひとつ、スコットランドのヘイトクライム法案がある。明らかに上から目線の偏見を示しているこの法案、自宅での夕食時の会話も含めて、増悪を煽る「ヘイトトーク」は起訴されるのだという。タイムズ紙の報道によると、司法長官フムザ・ユースフは、「著作や作品が故意に偏見を掻き立てたと見なされる場合、ジャーナリストや演出家も法廷に立つことになる」と述べたらしい[43]。社会統制が夕食の語らいにまで及ぶのにも驚きだが、「と見なされる」という動詞にも注目する必要がある。話者の意図ではなく、ポリコレな観察者の感じ方と意見で判定されるという点だ。

さらに、三つ目の例は、二〇二〇年九月、イギリスとアメリカの四つの大規模美術館による決定である。長く準備されていた『Philip Guston Now』展が四年間延期されることになった。戦後アメリカの最も重要な芸術家の一人の回顧展だが、「卑劣な妨害行為」の中、ワシントンD.C.にあるワシントン・ナショナル・ギャラリー、ロンドンのテイト・モダン、ボストン美術館、ヒューストン美術館の四館は、「フィリップ・ガストンが描くクー・クラックス・クラン等の明らかに敵意に満ちた険悪な風刺的画像は、彼の作品の中心にある社会的正義・人種的正義の力強いメッセージがより明瞭に解釈されるときが来るまで、展示することはできない」とした[44]。

この中止決定は、二重の意味で問題がある。ひとつは、芸術作品には一義的な解釈がある

43. Mark McLaughlin, "Hate Crime Bill: Hate Talk in Homes 'Must Be Prosecuted," the *Times*, October 28, 2020, https://www.thetimes.co.uk/article/hate-crime-bill-hate-talk-in-homes-must-be-prosecuted-6bcthrjdc
44. Clare Hurley, "Blatant Censorship: Retrospective of American Painter Philip Guston Delayed Four Years, WSWS, October 5, 2020, https://www.wsws.org/en/articles/2020/10/06/gust-o06.html

という前提に立脚していること。もうひとつ、ずっと深刻な問題は、一般の人々を極端に見下す態度だ。手短に言えば、美術館側は、ガストンの作品は疑いもなく人種差別への反対とで社会正義の支持を表していると認めているのに、彼の「クー・クラックス・クラン等の明らかに敵意に満ちた険悪な風刺的画像」は、今は展示できないと考えたわけだ。なぜ、できない？「明らかに」反人種差別の作品なのに、誰を不快にさせるというのか。言い分は色々あるかもしれない。少なくとも、ガストンがブラックカルチャーを利用しているわけではない。むしろ彼は「ホワイト」カルチャーの最悪な部分を、それも、あらゆるその不快なクオリティの中に可視化する形で「引用」している。

ポリコレな観覧者が言いそうな疑念は、たとえ真実（ガストンは人種差別に反対）は明白だとしても、一部に無垢な観覧者がいて、作品の風刺や批判的な皮肉を見逃し、ガストンが用いるイメージに魅了されて自分と同一視してしまう可能性だろう。数十年前、これと同じ理屈をヨーロッパのポリコレ・リベラルが使ったことがある。ラムシュタインやライバッハといったメタルバンドの音楽とそのビデオ（「ファシスト」軍のイメージや音響を使用）が、絶頂期を迎えた頃だ。リベラルは、一部の無垢な一般視聴者が皮肉や批判的な距離感に気づかず、バンドのパフォーマンスを直接のファシズムの宣伝ととらえることを危惧した（あらゆる調査で観客はほぼすべてが左派だったと明らかになったことや、ラムシュタインはドイツでは社会民主主義の左派政党、左翼党の支持を明確にしていたことは無視された。リベラルの「恐れ」は根強い……）。

だが、ガストンの展覧会の中止では、もう一つの要素が働いている。イメージそれ自体への不信である。この点、批評家はフロイトの無意識のようなふるまいをする。無意識に対して、否定は存在しない。ガストンのイメージにどう共感するかは大きな問題ではなく、より深いレベルで、ガストン作品を見せるという事実そのものが、明らかな戯画化や批判的な距離感も相殺してしまうことだ。これが成り立つ状況は、もちろんある（スナッフフィルムは言うまでもなく、ポルノにおいても）。しかし、もし、描かれた現象のリビドー的影響を効果的に弱めたいのなら、見せることは必要である。見せないで、影響を内側から本当に弱めることなどできない。生気のない抽象的な提示のレベルから出られないからだ。

ラムシュタインのパフォーマンスの強さは、そこに存在する。彼らはファシストの儀式を誇張された風刺的な方法で視覚化しており、そんな儀式をあざ笑っていることは容易に分かる。別の視点から、ガストンも似たことをしているわけだ。彼は、KKKのイデオロギーを、その支持者の日常の惨めさの中に置いて見せたのである。

ところが、ワシントン・ナショナル・ギャラリーの館長カイウィン・フェルドマンは、ガストンの作品がもつ批判的距離感の有効性を否定し、次のように主張して、展覧会の延期の判断を弁明した。

（私たちは、）観覧者の反応を尊重し、作品が様々なイメージの引き金になることも理解している。しかし、この画家の意図とは関係なく、KKKのシンボルは、我が国の建国以来、黒人・褐色人の心と体に対して行われてきた人種差別にもとづくテロリズムの象徴である。どう考えるべきかを観覧者に伝えさえすればよいという議論は、KKKのイメージに関しては役立たない。[45]

ということは、ガストンのKKKの画像は「引き金になる（trigger）」と考えられているわけだ。トラウマなどを呼び起こす可能性を事前に伝える、いわゆる「トリガー警告」でも同じ動詞が使われる。「文章や動画などの内容が、一部の人、特に以前に関連のトラウマを経験したことのある人にとっては、動揺を与えたり感情を害したりする可能性があるという警告文」のことである。[46]

ここで指摘すべきことは、では、なぜ、ガストンの展覧会の入り口にその「トリガー警告」を掲示しなかったのかだ。先のフェルドマン館長の回答でいけば、それは一般市民にどう考えるべきかを伝えるだけで、「KKKのイメージに関しては役立たない」となるのだろう。しかし、この場合、決してそれは事実ではない。ガストンの絵はKKKのシンボルを、KKKメンバーの日常生活の不快な惨状の中に置いているからだ。ヘーゲルならKKKメンバーの〈下僕〉的視点とでも呼びそうな様子が描かれている。絵の中のメンバーが自分たちの崇高な闘争の卑俗化に抗議していることは、容易に想像できたはずだ。

45. Julia Halperin, "Why Did the National Gallery Postpone Its Guston Show?" *Artnet*, October 6, 2020, https://news.artnet.com/art-world/kaywin-feldman-philip-guston-interview-1913483
46. McKhelyn Jones, "Political Correctness, Trigger Warnings and What to Do about Them," the *Review*, https://www.uvureview.com/news/front-page/recent/opinions/political-correctness-trigger-warnings

逆に左派を描いた絵があるとする。たとえば、マーチン・ルーサー・キングがモーテルの一室で情熱的に愛し合っていて、その脇のテーブルには次のスピーチのメモが山のようにあり、アルコールがその上にこぼれている——そうした様子を風刺的に描いた絵と効果は同じなはずだ（ご存じの通り、キング牧師には愛人がいた）。そんな絵が感情の「引き金になる」人々がいたとしたら、もっぱらキング牧師の支持者であって、彼に敵対する白人ではない。いずれの絵でも、観る者は考えることを求められない。不快感という反応が、即座に絵そのものが引き金となって生じる。

これは、ラムシュタインに対する左派の批判にも欠けていた重要なポイントである。たとえばトーマス・ブレイザーが書いている。

ドイツのメタルバンド、ラムシュタインの『Ausländer（異邦人）』のビデオは、植民地主義とセックスツーリズムへの批判という二点で、それを求めている。しかし、本来の意味が皮肉であったとしても、極右のネオナチもこのファシスト的イコノグラフィーを楽しむことだろう。大量消費民主主義においては、視聴者は自分なりの解釈をする。「単純に」スペクタクルを楽しむ人々と同様に、極右ネオナチも、このビデオの物質的なネオファシストの〈ミザンセーヌ〉に惹かれると言われている。本当のファシストも、見た目と歌詞の皮肉な巧妙さを無視して、ファシストの美学を賛美するスペクタクルに耽溺するのだ。また、ビデオでは、陽気で無垢な未開人として描かれる黒人も登場する。黒人への嘲りを観客として観る役割の中で、メインストリームの視聴者も、ネオナチのオルタナ右翼の過激主義者に加わることになる。[47]

この解釈の間違いは明白だ。ラムシュタインが全体主義の儀式を演出に使うとき、視聴者は何の「皮肉な巧妙さ」も見破る必要はない。儀式は非常にくだらない、悪目立ちする、うんざりするほど不穏な過剰な享楽の中で、奇妙にしか見えないからだ。また、『Ausländer』に出てくる黒人の描写は、白人レイシストに典型な表現と一致する。なぜなら、当然ながら、この作品が扱うのは本当の黒人ではなく、白人レイシストの幻想の一部としての黒人だからだ。大切なのは、ムカつくような嘲りを表現しながら、白人レイシストの幻想を内部から破壊していることである。

ラムシュタインのようなバンドが使う距離感と、ドナルド・トランプが暴力的極右グループに対して使う皮肉な距離感との間には、微妙な違いがある。ラムシュタインがナチスの儀式を再現するとき、距離感はない。儀式と過剰に同一化し、それによって内部から儀式を蝕む。一方、トランプは、暴力や陰謀論を吹聴する極右グループについて尋ねられると、彼らの一般的な愛国的態度は賞賛するが、グループの問題のある側面から形の上では距離を置こうとする。この距離感はもちろん、中身のない、純粋に言葉の技巧である。トランプが抱く

47. Thomas Blaser, “Is Rammstein Racist?” *Africa Is a Country*, July 26, 2019, https://africasacountry.com/2019/07/racism-comes-in-different-guises

暗黙の期待は、自分のスピーチの端々に溢れる暴力への誘いに乗じて、こうしたグループが行動することだからだ。

典型的なのが、プラウドボーイズが吹聴し実行している暴力について質問されたときの、トランプの答えだ。ファクトチェック・サイトのスノープスの記事によると、「二〇二〇年九月二十九日、白人至上主義を信奉するメンバーを含む極右グループ、プラウドボーイズに対し、ドナルド・トランプ大統領が全国放送で「下がって待機しろ」と告げた。その数分後、この男性だけのグループのメンバーたちは、フリンジのソーシャルメディア上で、左派に対抗するイデオロギー的前進だとして、この「歴史的」瞬間を祝賀した」[48]。これは（問題のある表現を使うのを許されるのならば）、トランプの面目躍如である。確かに彼は、プラウドボーイズに「下がれ」、つまり暴力を控えよと言ったが、「待機しろ」、つまり準備しろと付け加えた。何の準備か？ 裏の意味は明白で、微塵の曖昧さもない。「民主党への政権移行には暴力で抵抗しろ」である。

そう、パラドクスははっきりしている。自らを支持する白人至上主義に対するトランプの皮肉な距離感は、ラムシュタインのファシズムを内部から破壊するファシズムとの過剰な一体化よりも、ずっとずっと危険なのである。

48. Jessica Lee, "Who Are the Proud Boys Trump Told To 'Stand Back and Stand By'?" *Snopes*, October 7, 2020, https://www.snopes.com/news/2020/10/.

第十六章
恥の日だ。まったく！

二〇二〇年十月、ジェレミー・コービンが、イギリス労働党から党員資格を停止された。党内の反ユダヤ主義に対する、平等人権委員会の調査結果を踏まえた判断である。イギリスにおける平等の監視機関であるこの委員会は、「もし、リーダーがそうすることを選んでいれば」、問題はもっと効果的に対応できたはずだと結論した。[49] この報告書に対し、コービンは、党内に反ユダヤ主義があるということが「政治的理由で過激に誇張されている」[50]と反論して、党員資格停止になった。今回の追放劇によって、新しい党首キア・スターマーと、コービンを支持するジョン・マクドネルら下院議員との間で、公然の対立に火が付いた。

スターマー新党首は、平等人権委員会の報告書は、党にとって「恥の日」に値するとコメントした。しかし、これは労働党にとって、まったく別の理由から「恥の日」なのではないのか。コービンの資格停止が起きたこと自体が、「恥」の理由だ。コービンは（存在しない）反ユダヤ主義が原因で追放されたのではなく、資本主義に対する彼の批判的態度が原因で追放されたのだとしたら？　反ユダヤ主義だという非難は、カモフラージュだとしたら？

このわずか一カ月前、イングランド教育省は全学校に対し、「資本主義を終わらせる願望

49. Dan Sabbagh, "Key Findings of the EHRC Inquiry Into Labour Antisemitism," the *Guardian*, October 29, 2020, https://www.theguardian.com/politics/2020/oct/29/key-findings-of-the-ehrc-inquiry-into-labour-antisemitism
50. Jessica Elgot and Peter Walker, "Labour Suspends Jeremy Corbyn over EHRC Report Comments," the *Guardian*, October 29, 2020, https://www.theguardian.com/politics/2020/oct/29/labour-suspends-jeremy-corbyn-over-ehrc-report-comments を参照

を表明した」組織を情報源とする教材を用いないように命じた。反資本主義は「言論の自由への反対、反ユダヤ主義、違法活動の承認」に繋がるからというのである。[51] 私が知る限り、反資本主義の立場を禁じるこんな露骨な命令は、これが初めてだ。冷戦の暗黒時代にもなかったことだ。使われている単語に注意してほしい。「資本主義を終わらせる願望」——行動の目的や計画やプログラムではなく、単なる「願望（desire）」を問題にしているのだ。願望は当然、ほとんどどんな発言にも含まれうる（「確かに。言いはしなかったが、実際、お前はそう願っているだろう……」）。

この省令は、「資本主義を終わらせる願望」はそれ自体が反ユダヤ的だというこじつけである点で、さらに問題が根深い。そもそも、パラドクス的に、ユダヤ人が本質的に資本主義者だということを潜在的に意味するのだから、この省令自体が反ユダヤ主義だということになる。「反ユダヤ主義は筋違いの反資本主義である（「ユダヤ人」が「搾取する資本家」のメタファーにされている）」という主張が、反対になっていることに注意してほしい。「資本主義の秘密は、ユダヤ人が支配していることである」と。

つまり、コービンの悲しき追放は、反左派プロパガンダの鎖に連なる、最新の一つの環でしかないということだ。バーニー・サンダースからヤニス・ヴァルファキスまで、既存の秩序に対するコービンの批判を真摯に受け止めようとするあらゆる者に、「反ユダヤ主義」の烙印を押すプロパガンダの鎖である。

51. Mattha Busby, “Schools in England Told Not to Use Anti-Capitalist Material in Teaching,” MSN, September 27, 2020, https://www.msn.com/en-gb/news/uknews/schools-in-england-told-not-to-use-anti-capitalist-material-in-teaching/ar-BB19t30k.

ジャン＝ポール・サルトルは、「同じ文章が政治的対立関係にある双方から攻撃されたら、それは正しい道を歩んでいるという、稀有な信頼できる兆候だ」と書いている。この数十年、私は（しばしば同じ文章が理由で！）、あるときは「新たなホロコーストを擁護する反ユダヤ主義」だと、またあるときは「背信ともいえるシオニストのプロパガンダ」だと、攻撃されてきた（二〇一九年十一月に極右サイト、オクシデンタル・オブザーヴァーに掲載されたアンドリュー・ジョイスの記事を参照[52]）。だから、労働党とコービンが反ユダヤ主義に寛容だとするこじつけの批判に対して、コメントする権利を私は獲得したと思う。

むろん、私はあらゆる形の反ユダヤ主義を、疑う余地なく拒否する。理解できる場合もあるという考え方（「西岸地区でイスラエルがやっていることを考えれば、反ユダヤ的反応が出てくるのも驚きではない」など）も含めて拒否する。もっと正確に言えば、私は西岸地区の議論にある二つの対を成す主張を両方とも拒否する。つまり、「パレスチナ人はひどい目に合っているのだから、時々起きるパレスチナ人の反ユダヤ的行動を理解すべきだ」というのも、「ホロコーストを考えれば、積極的なシオニズムも理解すべきだ」というのも拒否するということだ（さらに「どちら側にも言い分があるのだから、中間のやり方で行こう」などという妥協案も拒否しなければならない）。

同様に、イスラエル側によくある主張、「イスラエル政策に対する（容認できる）批判は、（容認できない）反シオニズムをカモフラージュするのに役立っている」という主張にも、そ

52. Andrew Joyce, "Slavoj Žižek's Pervert's Guide to anti-Semitism," Occidental Observer, November 20, 2019, https://www.theoccidentalobserver.net/2019/11/20/slavoj-zizeks-perverts-guide-to-anti-semitism/

れをひっくり返した同じくらい適切な主張を付け足すべきだろう。「反シオニズムだという非難は、イスラエル政府に対する完全に正統な批判を潰す目的で行われることが多い」と。

では、正確にどこで、イスラエルの政策に対する論理的な批判が、反シオニズムにすり替わってしまうのだろうか。実際、パレスチナ人の抵抗への純粋な同情が、反ユダヤ的だと糾弾されることが増えている。「二国家解決案」の場合もそうだ。数十年前はこれが国際的に標準的な立場だったのだが、様々な宣言に盛り込まれた意見を経て、今ではイスラエルの存在を脅かす、つまり反ユダヤ主義と呼ばれるようになっている。

私に言わせれば、この難題の唯一の出口は、倫理にもとづく解決だ。突き詰めれば、反ユダヤ主義に対する闘争と、イスラエル国家がヨルダン川西岸でやっていることに対する闘争の間に矛盾はない。二つの闘争は〈解放（emancipation）〉を求める同じ闘争の一部だからである。

もっと具体的な事例を挙げる。二〇一九年十一月、労働党の候補者ツァラ・スルタナは、パレスチナの「暴力による抵抗」の権利を擁護するフェイスブックの投稿内容について、謝罪した。彼女は「私は暴力を支持しないし、あのような言い方で自分の怒りを発言すべきではなかった。そのことをお詫びする」とした。[53] 私はスルタナの謝罪を百パーセント支持するし、暴力は弄ぶべきでない。しかし、それでも、イスラエルが現に西岸地区でやっていることは暴力である、と付け加える義務があると感じる（当然ながら、イスラエルは西岸に平和を望

53. "Labour Coventry South Candidate Zarah Sultana Apologises For 'Celebrate Deaths' Post," BBC, November 4, 2019, https://www.bbc.co.uk/news/uk-england-coventry-warwickshire-50292235

んでいる――占領者は、定義上、占領地の平和を望むものだ。抵抗がないという意味だから）。ユダヤ人が、どんな形であれ、イギリス国内で脅威にさらされているというなら、私は無条件で全面的にこれを非難するし、闘うためのあらゆる法的手段を支持する。しかし、西岸地区のパレスチナ人は、イギリス国内のユダヤ人より、はるかに重大な脅威に直面しているのだ、と付け加えてもよいだろうか。

いま、無難な左派リベラル・エスタブリッシュメントから脱出して、よりラディカルな左派へと向かおうとする人すべてに、反ユダヤ主義の容疑がかけられるようになっている。労働党のコービンの件だけではない。イギリスのユダヤ教指導者エフライム・ミルヴィスは、二〇一九年十一月のタイムズ紙の記事で、「労働党内には新しい害悪、党指導部も認める害悪がはびこっている」と攻撃[54]。「私は誰に投票するかを言う立場にはない」としながらも、「十二月十二日が来たら、良心に従って投票するよう皆に呼びかける。確信を持ってほしい。この国の本質が問われているのだから」と続けた。

私はこの政治的選択を純粋な良心の選択として提示するやり方を、倫理的に最低なやり方だと思う。数十年前、イタリアのカトリック教会がキリスト教民主党に投票するよう明言はせず、ただ「キリスト教徒で民主的な党に投票すべき」と言ったのを思い出す。ラディカルな選択の政治こそが、今日、唯一の「主義にもとづく」政治である。ラディカルな選択とは、選択が必要なときには選択をすべきであり、偽の選択であれば選択を拒否す

54. Ephraim Mirvis, "What Will Become of Jews in Britain if Labour Forms the Next Government?", the *Times*, November 25, 2019, https://www.thetimes.co.uk/article/ephraim-mirvis-what-will-become-of-jews-in-britain-if-labour-forms-thenext-government-ghpsdbljk

べきだということである。今、パレスチナ人に対するあらゆる共感を反ユダヤと非難するようなシオニズムの政治的乱用を、きっぱりと拒絶しなければならない。それは、パリとニースで先日起きた虐殺事件のような、イスラム教徒のテロを徹底的に拒否するのと同じことだ。ここに選択はない。この両極端の間に正しい比較尺度はない。「どっちも、より酷い」と、スターリンなら言っただろう。

コービンがそうした「主義にもとづく」態度をとったことが、彼の失脚の本当の理由だった。

第十七章
民主主義の限界

二〇二〇年アメリカ大統領選挙の数週間前。様々な形を取るポピュリストの抗議活動が、ひとつのフィールドを作りつつあった。ガーディアン紙はこう書いている。

アメリカ大統領選挙も最終局面の今、複数の武装集団が、新型コロナのパンデミックは作り話だと主張する陰謀論者や反ワクチン論者と同盟を結ぼうとしており、投票日を前にして問題が発生する懸念が強まっている。反政府・反科学プロパガンダの主要メンバーらによる週末の集会に、最大規模の武装グループの創始者も加わっている。[55]

関与している三つの勢力、陰謀論者（Qアノンなど）と、コロナ否定論者と、暴力的な武装集団は、相互に共通点はなく、比較的独立も維持している。陰謀論者の中には、パンデミックの現実は否定しないものの、アメリカを滅ぼそうとする（中国の）策略だという者がいる。コロナ否定論者の中には、パンデミックの背後に陰謀論があるとは考えないが、脅威の深刻さを認めない者もいる（アガンベンなど）。

55. Ed Pilkington, "US Militias Forge Alliances with Conspiracy Theorists Ahead of Election," the *Guardian*, October 14, 2020, https://www.theguardian.com/world/2020/oct/14/armed-militias-conspiracy-theorists-anti-vaxxers-red-pill-expo

しかし、この三つの勢力が今、行動を共にしようとしているのだ。暴力的な武装集団は、トランプ再選に反対するディィープ・ステートの陰謀に自由が脅かされていて、パンデミックもこの陰謀の重要な要素であると考え、「自由の擁護者」を自称して自らを正当化している。この理屈でいくと、トランプが再選できなければそれは陰謀の結果であり、トランプの落選に暴力で抵抗することも正当とされてしまう。

さらに、十月二十九日、カルロ・マリア・ビガノ大司教（元駐米教皇大使で、ローマ教皇フランシスコに敵対して歯に衣着せぬ物言いをする）についての記事。

大司教のトランプ大統領への公開書簡を、Qアノンの匿名リーダーが投稿で引用し、カルト的陰謀論者たちのネット世界で話題になった。大司教の書簡はトランプ支持者の陰謀論が好んで扱う多くのテーマを取り上げており、不気味な「グローバル・エリート」から、ビル・ゲイツ、「メインストリーム・メディア」まで、おなじみの悪役を攻撃している。「全世界の運命が、神と人類に逆らう世界的陰謀によって脅かされている」とビガノは言い、トランプを「世界的独裁に抵抗する最後の守備隊」と位置づけて、「目前の選挙が大きな節目としていかに重要か」を強調した。[56]

このような視点は、一気に暴力に突き進みやすい。実際、二〇二〇年十月、ＦＢＩは右翼

56. Caitlin Dickson, "'A Global Conspiracy against God and Humanity': Controversial Catholic Archbishop Pushes QAnon Themes in Letter to Trump," Yahoo, October 31, 2020, https://www.yahoo.com/news/a-global-conspiracy-against-god-and-humanity-controversial-catholic-archbishop-pushes-q-anon-themes-in-letter-to-trump-134003985.html

の武装集団がミシガン州のグレチェン・ウィットマー知事を自宅から誘拐する計画を立てていたことを明らかにした。知事をウィスコンシン州内に確保した場所に連れて行き、「国家反逆」の罪で一種の私的「裁判」にかけようとしたという。[57] 確かに、知事として、彼女は新型コロナの感染抑制のために厳しい制限を課したが、この武装集団によると、それがアメリカ憲法に保障された自由権の侵害にあたるという。この計画は、あのヨーロッパで最も有名な政治的誘拐を思い出させないだろうか。一九七八年、キリスト教民主党と共産党の間の大規模連立の可能性に関与したイタリア政界の大物が、赤い旅団に誘拐され、人民裁判にかけられたのち、射殺された……。

新右翼ポピュリストが、数十年前には極左「テロリスト」集団の手段とされていたものを踏襲しているという、アンジェラ・ネイグルの主張は正しかった。[58] むろん、この二つの「極」が何かしら一致しているという意味ではない。この両極端のバランスをとる安定した〈中道〉も存在しない。基本的な敵対関係（antagonism）はエスタブリッシュメントと左派の間の対立であり、右翼の暴力的な「過激主義」は、〈中道〉が脅かされることが引き金になったパニック的反応にすぎない。

これが明白になったのが、最後の大統領候補討論会だ。公的健康保険を全国民に広げる「メディケア・フォー・オール」を支持するバイデンを、トランプが「バイデンはサンダースに賛成した」と言って非難したとき、これに対しバイデンは、「私は、バーニー・サンダ

57. Derick Hutchinson, "FBI: Group Plotting to Kidnap Michigan Gov. Whitmer Wanted to Take Her to Wisconsin for 'Trial'," ClickOnDetroit, October 8, 2020 https://www.clickondetroit.com/news/local/2020/10/08/fbi-group-plotting-to-kidnap-michigan-gov-whitmer-wanted-to-take-her-to-wisconsin-for-trial/.
58. Angela Nagle, *Kill All Normies* (New York: Zero Books, 2017)

ースを負かしたんだ」と言い返した。[59] その真意は明白だ。バイデンは人の顔をしたトランプなのである。二人は敵対してはいるが、同じ敵を持つ。バイデンの最悪なリベラルご都合主義だ。中道を怖がらせることを恐れて、左派「過激主義者」を拒絶しているのだ。

そして、この方向に動いているのは、アメリカだけではない。ヨーロッパメディアの特集記事を少し見れば分かるとおり、ポーランドでは、民主主義の解体を座して見ているしかないとリベラルの有名人が嘆いている。ハンガリーも同様だ。もっと一般的なレベルでも、議会制民主主義の概念そのものに内在するある種の緊張が、今日ではますます顕著になってきている。

民主主義は二つのことを意味する。一つは「人民の力」。言い換えれば、マジョリティの実体的な意志が、国家の中で自己主張すべきという考え方である。そしてもう一つは、選挙のメカニズムへの信頼。つまり、どれほどの操作や虚偽があったとしても、開票が終われば、その結果は全当事者に受け入れられるべきものとなる。だから、アル・ゴアの得票がブッシュより多くても、フロリダ州の集計に非常に問題があっても、ゴアはブッシュに敗北を認めた。正式な手続きに対する信頼こそが、議会制民主主義に安定性を与えているのである。

だが、この二つの側面が同調を失うと問題が起きる。そして、左派も右派も、しばしば選挙手続きより国民の実質的な意思を優先させるべきだと求める。ある意味、それは正しい。

59. Peter Sullivan, "Trump, Biden Clash over Health Care as Debate Begins," the *Hill*, 29 September, 2020, https://thehill.com/policy/healthcare/518863-trump-biden-clash-over-lawsuit-against-obamacare-as-debate-begins

民主的な代表制のメカニズムは、真に中立ではないからだ。アラン・バディウが書いているように、「もし、民主主義が一つの代表制であるなら、まず、その形式を維持する全般的なシステムを代表することになる。言い換えれば、選挙による民主主義は、まず資本主義の合意にもとづく代表である限りにおいてのみ、代表的であるといえる。そして、資本主義の合意にもとづく代表は、今日、「市場経済」と名前を変えている[60]」。

この一節は、最も厳格な形式的な意味で理解する必要がある。もちろん、経験的なレベルでは、多数政党によるリベラル民主主義は、国民の様々な意見(国民が政党の提案する政策をどう思うか、政党の候補者をどう思うかなど)の数量的な分散を「代表する」(正確に映し出す、正式に記録する、測定する)ものである。しかし、この経験的なレベルより前に、もっとずっとラディカルな意味で、複数政党によるリベラル民主主義の形式そのものが、社会や政治、その中の個人の役割についての特定の意見を「代表する」(具体例を挙げて説明する)のである。そうすることで、政治は政党として組織化され、政党は選挙を戦って、国家の立法と行政の装置に支配力を行使しようとする。だが、この枠組みが決して中立でないことを常に念頭に置く必要がある。特定の価値や慣行に特権を与えるものだからだ。

この非中立性がはっきりするのは、危機や無関心が起きるときだ。人々が実質的に望んだり考えたりすることが、民主主義制度によって正確に記録されないという事態が起きる。そして、その前触れとなる異常な現象がある。たとえば、二〇〇五年のイギリスの総選挙で、

60. Alain Badiou, *De quoi Sarkozy est-il le nom?* (Paris: Editions Lignes, 2007), p. 42.

トニー・ブレアの不支持が増えていたにもかかわらず（彼はイギリスで嫌いな人ランキングの常連）、この不満を表出する政治的に有効な方法がなかった。何かが非常に間違っているのは明らかだったし、人々が「何を求めていいか分からない」状態でもなかった。しかし、あのひねくれた辞任劇はむしろ人々が行動するのを抑え込み、選挙結果は人々の考えと行動（投票）の奇妙なギャップを示すものになった。

一年ほど前、フランスでも同じようなギャップが、黄色いベスト運動の勃発とともに、もっと乱暴な形で発生した。抗議者たちがはっきり声にしていたのは、制度化された代表制の政治に転換できない感情だった。だから、マクロンが運動の代表者らを対話の場に招き、不満をはっきりした政策に編成すべきではないかと迫ったとき、この運動に固有の経験は消滅したのである。これとまったく同じことが、スペインのポデモスにも起こったのかもしれない。ポデモスが政党政治に同調して政権に加わったとき、社会党とほぼ区別がつかなくなった。代表制民主主義が完全には機能しないことの新たな証拠にはなったが。

要するに、自由民主主義の危機は、もう十年以上も続いているということだ。新型コロナのパンデミックによって、一定レベルを超えて一気に拡大しただけ。民主主義が機能するための基本的な前提が、今、ますます脆弱化しているのだ。民主主義が依るべき信頼をよく表しているのが、有名なリンカーンの言葉、「すべての人を少しの間騙すことはできる。一部の人をずっと騙すこともできる。しかし、すべての人をずっと騙すことはできない」だ。これに悲観主義的なひねりを加えよう。「稀な例外的なときにだけ、マジョリティは真実に生きる。しかし、たいていのとき、マジョリティは非真実に生き、一方でマイノリティだけが真実に気がつく」。

すべてのマイノリティを包括するもっと「真実の」民主主義なんかに、解決策は見つからない。必要なのは、リベラル民主主義の枠組みそのものを捨て去ること。リベラルが最も恐れるまさにそのことだ。解決策は、自己組織化され動員された市民社会（ポデモスや、黄色いベストなど）が、直接国家を引き継ぎ、取って代わるというようなことでもない。マルティテュードによる直接政治は幻想である。直接政治は原則として、強力な国家の装置の中で維持される必要がある。真の変化への道は、システム内部での変化に望みを失ったときにだけ開かれる。これが「ラディカル」すぎると言うのなら、思い起そう。今、我々の資本主義はもうすでに変わりつつあることを。ただし、まったく反対の意味でだが。

直接的な暴力は、基本的に、革命的ではなく保守的である。より根本的な変化の脅威に対する反応だからだ。システムは危機的状態に陥ると、それ自身の規則を破り始めるものだ。ハンナ・アーレントは、一般的に、暴力の発生は社会を変える原因ではなく、社会自体の矛盾が原因ですでに失効した社会の中に新たな社会が生まれる、その産みの苦しみであると言った。アーレントがこれを言ったのは、「権力は銃身から生まれる」と言った毛沢東に対する反論の中であることを思い出す必要がある。アーレントは毛の発言を「完全に非マルクス主義的」信条であると見なし、マルクスにとって暴力は「生物の誕生に先立つ陣痛であり、もちろん、その原因ではない」としている。基本的に私も彼女に賛成だ。ただ、完全に平和的な権力の「民主的な」移行は、暴力という「産みの苦しみ」なくしては起こりえないと付け加えたい。民主的手続きのルールが停止されるときには、必ず緊張の瞬間があるものだ。

しかし、今日、この緊張の主体は右派である。だから、リベラル中間層が弱く優柔不断すぎる今、逆説的だが、左派の仕事は、アレクサンドリア・オカシオ＝コルテスが指摘するように、「ブルジョア」民主主義を救うことにある。これは、左派が議会制民主主義を超えて行動すべきだという事実と矛盾しないか。矛盾しない。トランプが体現するとおり、矛盾はこの民主主義的形式そのものの中にあり、リベラル民主主義において救う価値のあるものを救う唯一の方法は、その形式を超えて行くことだからだ。逆もまたしかりで、右翼の暴力が拡大するときに、リベラル民主主義を超えて行動する唯一の方法は、リベラル民主主義者本人たちよりも、リベラル民主主義に忠実であることだ。我々の壊滅的な風景の中に灯る数少ない光のひとつ、ボリビアでモラレスの政党が見せた民主主義の政権回復が、はっきりとシグナルを送っている。

第十八章
COVIDの絶望という勇気

ここに来てヨーロッパは、夏の自己満足のつけを払わされている。当初、二〇二〇年の夏の暑さでコロナウイルスは死滅するだろうと考えられていた。夏を過ぎてもウイルスが消えなかったときには、暑さは期待したほど効果がなかったことが認められた。それでも、多少は暮らしも自由になり、最悪の事態は終わったという安心感が生まれた。そして今、二〇二〇年秋になり、ウイルスが報復を開始して、夏の暑さは実は期待された働きをしていたのだと分かる。ウイルスを殺しはしなかったが、感染ははっきり減っていた。この夏は、最悪は去ったと信じられる短い希望の時間だったわけだ。

第二波に備えよという警告は至る所で見られたが、それに応じた行動はほぼ皆無だった。〈フェティシストの否認〉の論理(よく分かっているんだ。だけど、本当には信じられない)が、再び全力で主張したわけだ。だが、予想していたことが実際に起こって、今、我々は驚いている。今回の言い訳は、感染が急速に拡大しているけれど死亡率は低いままなのだから、今度の変異株は影響がずっと穏やかなんだろう――だったのだが、それも崩壊しつつある。ヨーロッパの新型コロナによる死亡者数は、明らかに上昇を続けている。

パンデミックの影響を強く受けた多くのヨーロッパ諸国では、国家行政の感染に対するコントロールが徐々に失われつつある。二〇二〇年十月二十五日、トランプの補佐官が「我々はパンデミックの感染拡大を制御するつもりはない」と言明して、スキャンダルになった。[61] なぜパンデミックが抑制できないのか説明を迫られたホワイトハウスの首席補佐官マーク・メドウズが「インフルエンザと同じような伝染性のウイルスなので」、政府は効果的な治療とワクチンの市場化に集中すると説明したのである。

この議論は、フロイトが示した有名な「壊れたやかん」の論理を思い出させる。相互に矛盾する三つの言い訳だ。

(1)返したときに、やかんは壊れていなかった。
(2)貸してくれたときに、やかんはすでに壊れていた。
(3)やかんを借りたことはなど、一切ない。

そして、ポール・クルーグマンによると、[62] トランプのホワイトハウスが採用したバージョンは、

(1)新型コロナは少数の人々だけに重篤な影響を及ぼす病気だ。

61. Jonathan Lemire, Alexandra Jaffe, and Aamer Madhani, "Trump Aide: 'We're Not Going to Control the Pandemic,'" AP, October 26 2020, https://apnews.com/article/election-2020-joe-biden-donald-trump-pandemics-virus-outbreak-03de71eecbb9a605b1efc324cdeb3a5e

62. Paul Krugman, "Trump Tells Coronavirus, 'I Surrender,'" the *New York Times*, October 26 2020, https://www.nytimes.com/2020/10/26/opinion/trump-coronavirus-climate-change.html. を参照

⑵新型コロナは深刻だが、我々行政は素晴らしい仕事をしている。
⑶感染は広がるもので、制御するためにできることは何もない。

多くのヨーロッパ諸国も、医療制度の崩壊が迫るなか、同じことをやろうとしている。これまでは、医療従事者が感染者に濃厚接触した場合、隔離しなければならなかったが、これからは、はっきりとした症状が出るまでは働き続けることが義務付けられた。この対策は医療スタッフの不足を理由に正当化されはするが、病院内でウィルスが自由に拡散する可能性を広げ、病院はすでに感染のホットスポットになっている。一部の国（ベルギーやチェコ共和国など）ではさらに進めて、医療従事者が検査陽性になっても、症状が強くなって倒れるまで働き続けなければいけないことになった。ベルリンでも、ベルギーでも、チェコ共和国でも、スロベニアでも、新型コロナの症状が出た人は、本当に症状が深刻にならない限り、医師に電話もしないように指示が出ている。これらの国は症例の追跡も放棄しており、症状のある人は誰と一緒にいたかを思い出し、自分でその人たちに連絡して行動を自制してもらえという指示を出している。つまり、国家がウィルスに屈服しかかっているのである。

二〇二〇年の夏をつうじて、ロックダウンや隔離といった対策の方が病気そのものよりも酷いのではないか、経済的にだけでなく、健康の面でも酷いダメージを起こすのではないか（がんなどの他の病気の見落としといった連鎖効果）、という議論が盛んになった。その基本方針は、あくまでロックダウンは避けることだ。社会・経済活動の停止がもう一度あったら、経済がもたないと何度も聞かされた。しかし、結局これが第三波を呼び、経済効果は限定的で、ウイルスの復活を遅らせただけという中途半端な対策になってしまった。医療専門家と経済界の利益の板挟み、加えてポピュリストのコロナ否定論者という三方からのプレッシャーにあって、各国政府は妥協の政策をとり、しばし一貫しないやたら複雑なその場しのぎの対策を提案したりした。結局、新型コロナ感染の新たな爆発だけでなく、壊滅的な経済の苦境という形でつけが来ていることがはっきりしてきた。

現実が露になり、今やヨーロッパ各国政府はこの傾向が続くなら、ロックダウンを検討することを隠さない。問題は、今日のグローバル資本主義の社会経済的座標の中で、再びのロックダウンの余力はないということだ。前代未聞の経済不況とカオス、社会不安、メンタルヘルスの危機を招きかねない。一回のロックダウンが、グローバルシステムが耐えられるすべてだ。

さて、グローバル資本主義の秩序と妥協した暑くて長い夏が終わり、我々が直面しているのは、この秩序を乱さずにパンデミックを終息させようとする国家の試みの限界である。状況は絶望的だ。既存の秩序の中に解決策が見つかる望みはない。この絶望をきっぱりと受け入れ、代わりにラディカルな社会経済的変化を提案する勇気を奮わなければならない。経済の直接的な「政治問題化」（社会化）である。国家にずっと強い役割を与え、同時に、市民社会における国家の装置の透明性を改善するのだ。

求められるこの変化の一般的な意味を示すため、「革命的正義」を構成する四つの要素を紹介したい。アラン・バディウが解説しているとおり、それは、⑴ボランタリズム（「客観的」法律や障害を無視した「山をも動かせる」という信念）、⑵テロ（敵を粉砕したいという断固とした意志）、⑶平等原則の正義（遅々とした前進を強いる「複雑な状況」も関係ない）、そして最後に、だが同様に重要なのが、⑷民衆への信頼である。この考え方がパンデミックの苦境に重要かもしれないと口にしただけで、必ず、憎悪と笑い声が起きる。そんな手段は倫理的に受け入れられないし、無効だと証明されているという批判が巻き起こる。しかし、それでも私が指摘したいのは、このパンデミックではこれら四要素の新しくもっと強力なバージョンを考案する必要があるということ。加えて、すでに我々はそれをやっているということである。

ソビエト連邦の崩壊後にキューバ危機が襲ったとき、当局はこの新しい時代——戦争がなくても軍の規律によって特徴づけられる時代を、「平和時の特別期間」と呼んだ。当時皆この名称を笑ったが、我々は今、そんな「平和時の特別期間」にいるのではないだろうか。

「革命的正義」の各要素を順に見てみよう。

「ボランタリズム」　保守勢力が権力を握っている国でも、明らかに市場の「客観的」法則に逆らうような決定が増えている。国家が直接、産業や農業に介入し、飢餓の防止や医療措置の実施に何億ドルも支出している。感染の拡大を受けて、少なくとも部分的には経済の社会化がますます急務になるだろう。戦時と同様、医療も市場の法則に関わりなく拡大・再編成が必要になる。

［テロ］　リベラルが持つ懸念は正しい。古い「全体主義的」警察による恐怖とは違うが、自由の厳格な制限は今、まぎれもない事実だ。国家は新しい社会統制や規制を実施せざるを得ないだけでなく、地域によっては、感染の恐れがあったりロックダウンを破ったりする家族や隣人を当局に通報するよう求めている。パンデミックのおかげで、内部通告者が新しいヒーローになっているわけだ。もちろん、普通の人がルール違反を当局に報告する役割を担うのは、友人を警察に差し出すのと同じと感じで抵抗する人もいる。だが、そんな同一視は誤っており、反対しなければならない。

［平等主義の正義］　すべての人がワクチン接種を受けられなければならないということ、また、世界人口のどこかの地域がウイルスの犠牲になるというのはありえないということは、一般に受け入れられている。全世界で終息しなければ、十分ではない。では、そんなことは可能なのか。イマヌエル・カントが義務に関して書いたように「君にはなしうる。なぜなら、なすべきだからだ」。もちろん、多数の不正があるだろうが、犯罪は犯罪として扱

い、厳正な処罰を与えるべきである。他国を犠牲にしてワクチン接種を操ろうとする国は、ならず者国家として扱われなければならない。

［民衆への信頼］　パンデミック対策の多くは人々が勧告に従って初めて機能することは、皆、理解している。だが、この点、国家の統制は十分機能していないし、思いやりの心に訴えるアピールが足りていない。人々は危険について情報を与えられる必要があるし、適切に怖がることで規制に従うべきである。また、支援が必要な人々のために、地域コミュニティで自主的に支援を組織するよう促す必要がある。そして、当然ながら、民衆は国家機関を完全に信頼してはならない。国家機関の側は、機関のメンバーを容疑者として扱う権利と義務を持つ民衆から「テロリスト」視される圧力を十分感じるべきだ。

こうした対策に対する抵抗は、あらゆる側から執拗に続くだろう。しかし、それは科学が示すことに逆らう抵抗に過ぎない。この種の抵抗の多くが新右翼ポピュリストによって行われているのも、それが理由だ。この点、妥協の余地はない。我々はすでに貴重な夏の時間をそんな妥協を求めて無駄にしてしまい、その戦には負けたのだ。今や容赦なく行動する時だ。要は、何カ月も前に私が訴えたように、「戦時共産主義」とでも呼ぶしかないものがヨーロッパには必要なのである。我々のあらゆる苦難（パンデミックに限らず）との闘いに対して厳格な規律と経済の従属化を課す、全ヨーロッパ的な緊急事態である。
我々を待ち受ける様々な苦難については、二〇二〇年十月二十七日の記事がある。

> 科学者たちは、北極海の氷結した地中のメタン――「炭素循環の眠れる巨人」として知られる――が、東シベリア沿岸の大陸棚斜面の広い領域で、大気中に放出され始めている証拠を確認した。ガーディアン紙が暴露している。この高レベルの強力な温室効果ガスが、ロシア近海のラプテフ海の深さ三五〇メートルで検知されており、新たな気候フィードバックループが始まって、地球温暖化が加速するのではという懸念が研究者の間に広がっている。[63]

これは、我々が観念して「終わりのない」戦時共産主義を受け入れ、慣れ親しんだ社会的自由は忘れるべきという意味にならないか。社会的自由は多くの人が言うより実際にはずっと制限されていたという事実は見ないとしても、逆説的には、「戦時共産主義」の零点を通過することによってのみ、新しい来るべき自由のための余地を空けておくことができると言える。もし古いライフスタイルに固執するのなら、間違いなく、行き着く先は新たな〈野蛮（barbarism）〉である。もしこの状況を認めないなら、もし既存の世界秩序にとどまるならば、我々に出口を見つける望みはない。

63. Jonathan Watts, “Arctic Methane Deposits ‘Starting to Release,’ Scientists Say,” the *Guardian*, October 27, 2020, https://www.theguardian.com/science/2020/oct/27/sleeping-giant-arctic-methane-deposits-starting-to-release-scientists-find

第十九章
トランプの床屋のパラドクス

三十年来、ドナルド・トランプは、マンハッタンのアッパー・イースト・サイドにあるポール・モレという床屋に定期的に通っていた。そのオーナーであるアドリアン・ウッドは、トランプがどこの毛先を切るか細かく指示し、はげた部分を晒すことは決して許さなかったことを覚えている。「何でも自分でコントロールしないと気が済まない人で、「こっちを切れ、そっちを切れ。もういい」と言う感じで、頭の毛一本一本、どう切るかを指示してきます。こっちは言われたとおりに切るだけです」[64]と語る。

二〇二〇年十一月現在、トランプの事業や財務に国の捜査が入っているが、本人は退任するまでは自分を赦免すると繰り返し強調している。[65]これをめぐる議論で、何千年も言われてきた〈自己参照（self-reference）〉のパラドクスを思い出す人も多いだろう。たとえば、自分で髭を剃らない人だけの髭を剃る床屋の話だ（バートランド・ラッセルが言ったことになっているが間違い）。この床屋は自分の髭を剃るのか。自分の髭を剃るなら、自分で髭を剃らない人だけ剃るというルールを破ることになる。自分の髭を剃らないなら、自分で髭を剃らない人に分類されるので、自分の髭を剃ってよいことになる……。

64. Abre 9:00-11:30 a.m. y 12:30-3:30 p.m. excepto Nihongi, cierra a medio dia. Recepción cierra entre las 11:30 y las 12:30 por ventilación y sanitización
65. Evan Perez, Pamela Brown, Jamie Gangel, and Jeremy Herb, "As Trump Wrestles with Defeat, Pardons Loom For Allies—And Himself," CNN, November 12, 2020, https://edition.cnn.com/2020/11/12/politics/trump-pardons-loom-defeat/index.html.

このパラドクスをトランプに当てはめたらどうなるか。自分を赦免できるのだろうか。常識的に考えれば、大統領（そのほか君主のような最高権力者）は、裁判所が判断し有罪を宣告した人物を赦免することができるのだが、自分を赦免できない人だけを赦免できると考えられる（すべての有罪犯が自分を赦免できるとしたら、ほとんどがそうするだろう）。自分を赦免できるなら、赦免される必要があり、すなわち本人は法律に違反した普通の人であり、自分を赦免できないことになる。

だが、トランプの場合、このパラドクスは比較的シンプルに解ける。自称「法と秩序」の番人のトランプは、自分が法の上に立つと考えている。だから、自分を赦免できるという主張は、要は赦免は必要ないという意味である。彼の行動は法律によって制限を受けないのだから。

だが、別の問題がある。赦免を与える特権は、通常は君主や大統領といった執行権力を持たない者、つまり、その機能が象徴とか儀式である者の特権だということだ（ヘーゲルは、執行権力を君主から切り離す必要性をはっきり理解していた）。この二つが崩れて区別を失ってしまうと、すなわち、名目だけの国家の長が行政権力を握ったときに、「全体主義」的な誘惑が湧き上がってくる。これは、ファシストやスターリン主義者の「全体主義」（ただし、イタリアの場合、ムッソリーニは両方の役割は持たなかった。イタリアは君主制に留まった）に起きただけでなく、実は、アメリカ憲法そのものにも刻み込まれている。

アメリカは、大統領も執行権力から排除されない点で独特であり、二つの機能が一体化している（だから、アメリカ大統領は行政命令によって統治でき、上院や下院はおおむね無視される）。この権限はどこから来たのだろうか。

エリック・ネルソンは、『王政主義者の革命（*Royalist Revolution*）』[66]の中で、イギリスに対する反乱を生じさせ、新しいアメリカ共和制の憲法を形作ったのは、王の大権に対する称賛と強力な執行権の利点に対する信念（いずれも十七世紀の先例に由来）であったと、説得力のある説明をしている。つまり、アメリカ革命は王政主義の伝統から発生したのであって、議会主義の伝統からではないというのだ。そもそも、「建国の父たち」は、アメリカ植民地にかける税を引き上げようとするイギリス議会の横暴から、イギリス国王が自分たちを守ってくれることを願っていた。だから希望が叶えられなかったとき、この「執行権力を持った君主」のイメージを憲法に組み入れたのである。

だが、この「建国の父たち」の決定が、今、運命的な結果をもたらしている。オバマとトランプは多くの点で非常に対照的だが、それでも両者に共通することは、行政命令の乱用である。だからと言って、アメリカが本当に君主制だというのではないが、ある意味、立憲君主制よりもひどい。まるで、君主が議会の寡頭制を制限する執行権力を持った君主制のようである。

しかし、歴史の皮肉は、この危険からも何か良いことが生まれる可能性を教えてくれる。

66. Eric Nelson, *The Royalist Revolution: Monarchy and the American Founding* (Cambridge, MA: Harvard University Press, 2017)

トランプが大統領就任直後、執行権力を使って国家緊急事態宣言を布告したのを覚えているだろうか。トランプに批判的な人々は、この宣言の使われ方にショックを受けた。明らかに戦争の脅威や自然災害といった大きな惨事のためだけに意図された措置なのに、米国をありもしない侵入者の脅威から守る国境の壁を建設するために使われたのだ。批判は民主党からだけでなく、一部の右派も、この布告が危険な先例になるという事実に警戒感を示した。しかし、だ。もし、将来の民主党左派大統領が、たとえば、地球温暖化について国家緊急事態を宣言したらどうだろう。私が言いたいのは、まさに、将来の左派の大統領はこれをやって、迅速な異例の措置を合法化すべきだということだ。地球温暖化は、実際、（国内にとどまらない）緊急事態である。

第二十章
トランプをその概念において亡き者にする方法

二〇二〇年十一月二十三日、ドナルド・トランプは政権移行手続きの開始に同意した。しかし、その受諾の発表され方が、トランプその人を雄弁に物語っている。[67]

連邦政府一般調達局（GSA）がジョー・バイデンを大統領選挙の「明らかな勝者」として宣言したことを受けたトランプの同意であり、これで正式な政権の引継ぎが開始できることになった。GSA局長のエミリー・マーフィーは、次期大統領への書簡の中で、自分が「独立して」この判断に至ったのであって、行政機関からの圧力は受けていないと述べている（バイデンを「明らかな（apparent：外見上明らかな）」勝者と呼んでいることに注意。外見の逆が本質であるなら、この修飾語は（票の再集計結果が何であれ）「本質的に」は、トランプが勝ったことを意味している）。

ところが、マーフィーの書簡が最初に報道されてからわずか数分後、トランプはツイートした。「マーフィーにバイデンへの書簡を出す許可を与えたが、敗北への抗議は続けると誓う。私の支援団体は、最後の望みをかけて選挙結果を打倒するために、支援者の資金集めを続けるだろう[68]」と。つまり、トランプは敗北を認めずに政権移行は受け入れ、独立して自主

67. See Sam Levin and Maanvi Singh, "Trump Agrees to Begin Transition as Key Agency Calls Biden Apparent Election Winner," the *Guardian*, November 24, 2020 https://www.theguardian.com/us-news/2020/nov/24/trump-transition-biden-general-services-administration.
68. Kevin Breuninger, "Trump Administration Officially Begins Transition to Biden after Weeks of Delay," CNBC, November 23, 2020, https://www.cnbc.com/2020/11/23/trump-appointee-informs-biden-that-gsa-will-begin-transition-process-reports-say.html

的に行われる活動は容認するわけだ。まったく、彼は「生ける矛盾」だ。伝統的キリスト教徒の価値観の番人を自称する、ポストモダンの究極のアイロニストだ。法と秩序の無条件の護衛を自称しながら、その究極の破壊者でもある。

同様の緊張関係は、トランプの極右との繋がりにも見られる。特に、極右の全般的な愛国的態度を賞賛しつつ、その最も問題の多い側面からは、形の上で距離を取ろうとしている点に顕著である。この距離感はもちろん空虚なもので、純粋に言葉のあやでしかない。プラウドボーイズのような集団が持つ最悪の面をわずかに非難しながら（「下がっていろ」と命じる）、同時に、自分のスピーチに溢れる暴力の呼びかけに乗じて彼らが行動することへの期待を隠そうともしない（「準備せよ」）。

トランプのプラウドボーイズに対する対応は、彼の「過剰性」をいかに重く捉えるべきかの一例だ。二〇二〇年の選挙キャンペーンで、夫の支援に珍しく姿を現したメラニア・トランプは、バイデンの「社会主義アジェンダ」を糾弾した。[69]じゃあ、極めて穏健なバイデンより遥かに左寄りのカマラ・ハリスについては、どうなのか。メラニアの夫はこの点について明確だ。「ハリスは共産主義者だ。社会主義者なんかじゃない。社会主義者をはるかに超えている。国境を開いて、殺人鬼や殺人犯や強姦魔をこの国に溢れされようとしているんだ」と言っている[70]（ついでながら、国境の開放はいつから共産主義者の特徴になったんだ?）。するとバイデンは、これに即座に反応した。「私は、自分が社会主義者や共産主義者だと思わせるよう

69. Michael Rubinkam, "Melania Trump Slams Biden, Dems in First Solo Campaign Stop," AP, October 27, 2020, https://apnews.com/article/melania-trump-slams-joe-biden-democrats-abea5fb241eaa7c320da7f7e22bf6342
70. Katherine Fung, "Donald Trump Says Kamala Harris Is a 'Communist' and a 'Monster' Who Wants to Open Up Borders," Newsweek, October 8, 2020, https://www.newsweek.com/donald-trump-says-kamala-harris-communist-monster-who-wants-open-borders-1537492

なことは、一言だって言ったことはない」と言って。[71]

まあ事実としてはそうなのだが、この反論は的外れだ。バイデンとハリスを社会主義者・共産主義者として切り捨てるのは、単に言葉の上の誇張ではないからだ。トランプは単に真実でないと知っていることを言っているのではない。むしろ、トランプの「誇張」は、「概念のリアリズム（realism of notions）」とでも呼ぶべきものの典型である。それは、概念は単なる名称ではなく、政治空間を構成し、それゆえ実際の効果も持つという考え方だ。

たとえば、トランプの政治空間の「認知マッピング」をしたら、党に逆らう者はすべてファシストの策略の一部だとするスターリン主義者の認知マップのほぼ対照的な裏返しになるだろう。要するに、トランプの視野からはリベラル中間層がすっぽり消え失せているのだ。彼と親しいハンガリー首相ヴィクトル・オルバーンが言ったように、「リベラルは皆、大卒の共産主義者だ」ということだ。[72] つまり、トランプにとっては、国家主義ポピュリストと共産主義者の二極しか存在しないのである。

セルビアには、素晴らしい表現がある。「打ち負かしはしないが、概念・観念で亡き者にする」というものだ。直接の暴力で粉砕するのではなく、相手の自尊心を失わせる行動によって攻撃し、相手は存在の中心（＝概念）を奪われて、屈辱にまみれることになる。「概念で亡き者にする」の正反対が、実際の（経験的実在の）破壊によって相手の「概念」がひとつ上のレベルで生き残る（たとえば、敵を殺したが、逆にヒーローとして多数の人の心に残る）ことで

71. 同上
72. Kovács Zoltán, “Orbán: ‘There Are No Liberals, Only Communists With University Degrees’,” Index, February 17, 2020, https://index.hu/english/2020/02/17/hungary_viktor_orban_state_of_the_nation_2020/

ある。

ナチズムにも同じことが言える。我々は、ヒットラーを単に破壊する（彼の「過剰性」だけを排除し、結果としてその政策の正気の中核を残すことになる）べきでなく、ヒットラーを概念において亡き者にしなければならない。トランプとそのレガシーについても同じことだ。やるべきことは、彼を敗北させることだけではなく（それだけでは、二〇二四年の選挙で戻ってくる可能性を広げてしまう）、「トランプを概念において亡き者にする」ことなのである。あらゆる無価値の虚栄や矛盾の中に彼自身を可視化し、同時に（そして、これが極めて重要なのだが）、いかにしてそんな価値のない人物がアメリカ大統領になりえたのかを問うことが責務である。トランプをその概念において亡き者にするというのは、ヘーゲルが言いそうな表現なら、「トランプを彼の概念にまで高める」ことだ。言い換えれば、彼がどんな人間かをそのまま見えるようにすることによって、トランプが自らの身を滅ぼせるようにすることである。

第二十一章

民主主義の再生？　ジョー・バイデンじゃ無理！

「民主主義の再生（Democracy reborn）」（歴史家ギャレット・イプスの二〇〇七年の本のタイトル）は、憲法に改正十四条を加えるため、すべての進歩主義者が結集した南北戦争後の時期を指して、アメリカの歴史学で使われる言葉である。この憲法改正は、アフリカ系アメリカ人に完全な市民権を与え、すべての州のすべての人に法の下の平等の保護を保証するもので、アメリカの市民生活のほぼあらゆる詳細を変えるこの改正を、学者らは「第二の憲法」と呼ぶほどである。それは、勝利した北部と敗北した南部の間の仲裁ではなく、勝者によって課された新しい統一、普遍的な解放に向けた大きな一歩だった。

二〇二〇年十月の国民投票でのAPRUEBOの勝利によって、チリにも何か似たことが起きたのではないだろうか。大多数の国民に認められた憲法を変えるプロセスは、ピノチェトのレガシーを排除することや、ピノチェト前の「民主的」時代に戻ることだけをめざしているのではない。もっとラディカルな変化、すなわち解放の新たなステージを始めることが求められている。ここでも、「民主主義の再生」は、何か古い理想化された国家に戻ることではなく、過去全体をラディカルに打ち破ることを意味している。

トランプの時代、アメリカは事実上、新右翼ポピュリストとリベラル民主主義中道の間に起きたイデオロギー的・政治的内戦状態にあり、時に物理的な暴力の脅威すらあった。では、トランプの独裁的なポピュリズムが敗北した今、アメリカで新しい「民主主義の再生」のチャンスが生まれただろうか。残念ながら、そのわずかなチャンスは、バーニー・サンダースやアレクサンドリア・オカシオ＝コルテスのような「民主社会主義者」の排除とともに、消え失せた。左派リベラルと民主社会主義者の連携だけが、民主的な解放のプロセスを一歩進める可能性を持っていたのだが。

上院が共和党多数のまま残り、最高裁も保守派が多数を占めているため、新大統領としてのバイデンには非常に大きな制限があり、新しい重要な変化を起こすことはできないだろう。しかしながら、それ以上に深刻な問題は、バイデン自身が経済的・政治的エスタブリッシュメントの「穏健な」手先であって、社会主義的傾向を糾弾されるのを恐れていることだ。だから、オカシオ＝コルテスが大統領選挙後のインタビューで、停戦協定を破って民主党の無能を批判し、バイデン政権が進歩派を重要ポストにつかせなければ、民主党は二〇二二年の中間選挙で大負けするだろうと警告したのも、実にもっともである。[73]

アメリカは今、ほぼ真っ二つに分断されており、バイデンの統合や和解の言葉はむなしく聞こえる。ロバート・ライシュは「トランプがアメリカの癒しを求めていないのに、バイデンがどうやってアメリカを癒すのだ?」と書く。[74] そして、この分断は消えない。「トランプ

73. Tom McCarthy, "Alexandria Ocasio-Cortez Ends Truce By Warning 'Incompetent Democratic Party," the *Guardian*, November 8, 2020, https://www.theguardian.com/us-news/2020/nov/08/alexandria-ocasio-cortez-ends-truce-by-warning-incompetent-democratic-party
74. Robert Reich, "How Can Biden Heal America When Trump Doesn't Want It Healed?" the *Guardian*, November 8, 2020, https://www.theguardian.com/commentisfree/2020/nov/08/joe-biden-donald-trump-election-healing-robert-reich

は偶然の出来事ではなく、彼を作ったアメリカが、今も存在している」のである。[75] だから、南北戦争後の「民主主義の復興（rebirth of democracy）」が、共和党と反黒人主義の南部民主党との妥協に終わったように、バイデン政権にも二、三年すれば似たことが起きる可能性は高い。

とはいえ、この選挙結果は単なる手詰まり状態ではない。明らかな勝者がいる。それは、グーグルからマイクロソフト、ＦＢＩから国家安全保障局といった、大資本と「ディープ・ステート」の組織である。これらの視点から見ると、弱々しいバイデンと共和党下の上院というのは、願ってもない結果である。トランプの奇行が無くなって国際貿易や政治協力はトランプ以前の通常に戻るだろうし、上院と最高裁判所がラディカルな政策はすべてブロックしてくれるだろう。だから、逆説的に、アメリカでは「進歩的」な側の勝利は同時に敗北だった。二〇二四年にトランプが返り咲くチャンスすら生みかねない政治の手詰まり状態なのである。

それゆえ、トランプの敗北のまさにその瞬間、我々が問うべきは、トランプが一体どうやってアメリカ国民の半分を誘惑したのかである。理由の一つは、間違いなく、トランプとバーニー・サンダースに共通する特徴である。サンダースの支持者は猛烈に彼を信奉している。「バーニー、いったん出たら、戻って来れないよ」と言うぐらいだ。不思議な愛着などではなく、バーニーが真剣に自分たちと自分たちの問題を考えてくれている、自分たちを本

75. Michael Goldfarb, "Trump Was No Accident. And the America That Made Him Is Still With Us," the *Guardian*, November 8, 2020, https://www.theguardian.com/commentisfree/2020/nov/08/trump-was-no-accident-the-america-that-made-him-is-still-with-us.

当に分かってくれているという、国民の一部による認知である。他のほとんどの民主党候補とは対照的だ。サンダースの政策の現実性や実現可能性の問題ではなく、彼が支持者の琴線に触れるということだ。家族が重篤な病気になったら（あるいは、病気になっていて）どうしようかと心配している有権者が、ブルームバーグやバイデンが本当に自分たちを理解してくれていると言えるはずがない。

この点、トランプは一見、サンダースに似ている。トランプの普通の市民との連帯は、ほぼ猥褻な下品さに限定されているのだが、日々の心配や恐れにシンプルな言葉で言及し、あたかも心配しているかのような、市民の尊厳を尊重しているかのような印象を与える。パンデミックに対する対応においてでさえ、トランプが抜け目なくそんな「人間的」なアプローチをとったことは認めよう。冷静な態度を保とうと努力しながら、パンデミックはまもなく終わり、普通の生活に戻れると人々に言ったのだから。

以前、バイデンは人の顔をしたトランプだ、ちょっと礼儀正しく優しいだけ、と書いたことがあるが、その逆も言えるだろう。トランプは人の顔をしたバイデンだ。もちろん、「人」の意味は俗悪さと無礼の最低レベル、複雑な公式の講釈を垂れている専門家より、無意味なことを喚いている酔っ払いのほうが「人間的」であるのと同じ意味にまで落ちる。

もう今、何も変えない大統領を迎えることが最大の希望だというほどの低次元に、我々はある。ヒーローとして称賛に値する唯一のグループは、トランプ支持者の暴力的な脅迫をただ無視し、粛々と票の数え直し作業を続けている人たちだけだ。こういう称賛は、本来、平穏な政権移行すら祝賀の理由になるような「ならずもの国家」のためにあるのだが。

唯一の小さな希望は、トランプ時代の予期せぬ成果――アメリカが「世界の警察」から一部撤退する状況が続くことである。アメリカは、新しい複数の中心を持つ世界の中の一国家でしかないことを認めなければならない。まるで全世界の運命が数千の無知なアメリカ人に左右されるかのように、恐れながらアメリカの開票の行方を見守るという屈辱的な状況を避けるには、それが唯一の方法である。

第二十二章
情勢と選択

これを書いている二〇二〇年十一月末、パンデミックの状況を確認してみる。ヨーロッパはいわゆる「第二波」の真っ最中だ。この「第一波」とか「第二波」はヨーロッパを中心とした区別であることを忘れてはならない。ラテンアメリカではまったく別のリズムがあり、ヨーロッパの最初の二つの波の間に、ちょうどピークが来た。今、ヨーロッパは第二波に苦しんでいるが、ラテンアメリカの状況は多少良くなっている。

もうひとつ常に念頭に置いておかなければならないのが、パンデミックが様々な階級（貧困層ほど影響が大きい）、人種（アメリカでは、黒人やラティノの状況が厳しい）、性別（男性より女性の方がより頻繁に、より深刻な影響を受ける）にそれぞれ異なる影響を与えていること、また、様々な地域（一般にアフリカは影響が少ない）や国家（ヨーロッパでは、二か月前とまったく逆で、フランスとスペインが快方に向かっているが、ドイツは深刻）によって、リズムも異なることである。

また、状況が特に悪い国々（戦争、貧困と飢餓、地域の暴力などのせいで）では、パンデミックが軽い害悪のひとつに扱われていることも、心に留めておく必要がある。たとえば、イエメンだ。「疾病に悩まされ続けているこの国では、新型コロナの話題はめったに表に出てこない。戦争と飢餓と破滅的な援助削減によって、イエメン人の窮状はすでに耐え難い状態だからだ」と、ガーディアン紙は報じている。[76] 同様に、アゼルバイジャンとアルメニアの間に短期間戦闘が勃発したとき、両国の政府高官とも、パンデミックとの闘いについては優先順位を下げざるを得ないと訴えた。

このような複雑な諸状況はあるにしても、第一波のピークと第二波の明らかな特徴は一般化できる。

◉一部にあった希望は潰えた。集団免疫は働かない。ヨーロッパでは死亡が最高レベルに達している。ウイルスがどんどん広がっても、やがてより弱性の変異種が生じるだろうという希望も消えた。

◉分からないことが非常に多い。特にウイルスの広がり方が分からない。この不可解さゆえに、一部の国では、元凶となる集団（家庭や職場での私的な集まり、秘密のレイヴなど）を死に物狂いで探している。「ウィズ・コロナの生活を学ばなければ」というよく耳にするフレーズは、ウイルスへの敗北感を表現したものだ。

◉ワクチンは希望をもたらす。だが、すべての問題を魔法のように消し去り、過去の日常が回復すると期待したり、他の感染症の流行や経済的カタストロフィの可能性を無視したりしてはならない。そして、ワクチンの配布は最大の倫理テストになる。普遍

76. Bethan McKernan, "Yemen: In a Country Stalked by Disease, Covid Barely Registers," the *Guardian*, November 27, 2020, https://www.theguardian.com/global-development/2020/nov/27/yemen-disease-covid-war

的な配布の原則は存続できるか。それとも日和見主義者の妥協によってあやふやになってしまうだろうか。

◉経済を回しながらパンデミックと闘うという妥協案は、多くの国が採用しているモデルだが（ヨーロッパでは、オーストリアとスイスがスキーリゾートを再開したがっているなど）、何度も何度も流行がぶり返すことになり、繰り返しその限界を実証している。本当に機能すると思われるのは、厳格なロックダウンだけである。最新の事例が、オーストラリアのヴィクトリア州で、二〇二〇年八月に一日七百件の新規陽性があったが、今は、「アメリカとヨーロッパ諸国が感染再爆発や再度のロックダウンに直面するなか、三十日間新規症例がゼロという、うらやましい記録を続けている」[77]。

◉メンタルヘルスに関しては、振り返ってみれば、第一波のピーク時の人々の行動はおおむね健全で、脅威に対する通常の反応を示した。国民は感染を避けることに集中し、多くはメンタルヘルスを問題にする時間もなかったようだった。メンタルヘルスの問題には現在多くの議論があるが、人々のパンデミックとのかかわり方には、多様な要素が奇妙に混在していることが多い。感染者数が増えても、ほとんどの国でパンデミックはあまり深刻に考えられず、「コロナ疲れ」という表現に反映されているように、「どっちみち生きていくしかない」的な態度が見られ、多少とも新型コロナウイルスと共に生きる術を学んだように見えるかもしれない。西ヨーロッパでは、クリ

77. Edward Johnson, “Australia's Longest Lockdown Pays off with No Cases for 28 Days,” MSN, November 27, 2020, https://www.msn.com/en-xl/news/world/australia-s-longest-lockdown-pays-off-with-no-cases-for-28-days/ar-BB1bouzN

スマスを祝えるか、ショッピングができるか、あるいはいつもどおり冬の休暇が取れるかを心配する人が多い。

しかし、この「生きていくしかない」という態度は、最悪の事態は去ったという安堵の状態とは正反対のシグナルである。絶望と、国家規制の違反と、規制への抗議がごちゃ混ぜになっている。権威筋や主要メディアからはっきりとした見通しが示されないため、恐怖よりも深い何かが作用して、いわば、恐怖を通り越して抑うつに至ってしまったようだ。人は明らかな脅威があるときには恐怖を感じ、求めるものに到達するのを邪魔する障害が繰り返し現れるときには欲求不満を感じるものだ。だが、抑うつは、我々の欲求自体が消え去っていることの証である。

そんな「失見当識」感の原因は、因果関係の秩序が混乱しているように見えることである。たとえば、ヨーロッパでは、はっきりしない理由で、感染者数がフランスでは減り、ドイツでは増えている。理由が誰にもはっきり分からないまま、数カ月前にはパンデミック対策の模範になっていた国が、今最悪の犠牲者になっていたりする。科学者は多様な仮説を弄び、その不統一さ自体が混乱感を助長し、メンタルヘルスの危機を助長している。

さらに「失見当識」を悪化させているのが、パンデミックの影響が多くの様々な側面に及ぶことである。ドイツのウイルス学の権威、クリスチアン・ドロステンは、パンデミックは

78. Christian Drosten, "Die Pandemie Wird Jetzt Erst Richtig Losgehen. Auch Bei Uns," Der Spiegel, September 23, 2020, https://www.spiegel.de/wissenschaft/medizin/christian-drosten-zu-corona-die-pandemie-wird-jetzt-erst-richtig-losgehen-auch-bei-uns-a-1b2833f0-4673-4726-a352-71ddb8bfc666 を参照

単なる科学的現象や健康上の現象ではなく、自然災害であると指摘しているが、[78]これに加えて、社会的・経済的・イデオロギー的現象でもあると考えるべきだろう。パンデミックの実際の影響は、これら側面のすべてが組み合わさっている。

たとえば、CNNの報道によると「日本では十一月一ヵ月間に自殺した人は、二〇二〇年年間の新型コロナの死亡者数より多い。特に女性が大きな影響を受けている」[79]という。この人たちのほとんどがパンデミックが原因の苦境のために自殺したとすると、その死はパンデミックの二次的被害と考えられる。

パンデミックと経済の関連性が顕著なのは、西バルカン諸国だ。ここでは病院が限界に追い詰められている。ボスニアの医師は「私たちは三人分の仕事ならできる。だが、五人分は無理だ」[80]と訴える。この危機を理解するには、「将来のある若い医師や看護師が良い給料や研修を求めて大量に国を去る」という、「頭脳流出」も理解しなければならない。パンデミックの壊滅的な影響が、労働力の移動によって一層ひどくなっているのだ。

したがって、新型コロナウイルスのパンデミックが第三波に進むとしても、それぞれの波の特徴は異なると結論することができる。第一波では、人々の注目は当然ながら身体的な健康や、ウイルスの無制限な拡散を防ぐ方法に置かれ、多くの国はロックダウンやソーシャルディスタンスの政策を受け入れた。第二波では、感染者数はずっと多かったが、長期の経済的な影響が主な焦点になっている。ワクチン接種が進んでも第三波が防げないとしたら、

79. Selina Wang, Rebecca Wright, and Yoko Wakatsuki, "In Japan, More People Died from Suicide Last Month Than from Covid in All of 2020," CNN, November 30, 2020, https://edition.cnn.com/2020/11/28/asia/japan-suicide-women-covid-dst-intl-hnk/index.html
80. "'Catastrophic': Balkan Health care Overwhelmed by Virus Surge," MSN, November 29, 2020, https://www.msn.com/en-xl/europe/top-stories/catastrophic-balkan-healthcare-overwhelmed-by-virus-surge/ar-BB1bsfUl を参照

人々の関心はメンタルヘルスや、かつて「通常の社会生活」と考えられていたものが消滅したことの心理的影響に集まるだろう。

我々が突き付けられている究極の選択肢は、こうなる。（古い）正常性に戻るため努力すべきなのか、それとも、パンデミックを新しい「ポスト・ヒューマン」（人間であることの意味についての一般的な感覚という観点での「ポスト・ヒューマン」）時代に入ろうとしている兆候の一つとして受け入れるべきか、だ。明らかにこれは、我々の精神生活に関わる選択であるだけでなく、現実（として我々が経験するもの）との関係全体に関わる、ある意味、「存在論的」選択である。

パンデミックに対する様々な対応の間に生じるコンフリクトは、様々な医学的意見の間に生じるコンフリクトではない。深刻な実存的なコンフリクトである。テキサスのトークショーの司会者、ブレンデン・ディリーは、自分がマスクを付けない理由をこう説明する。「のろまなら死んだほうがまし。そう、文字どおりの意味で。間抜けに見えるぐらいなら、今すぐにでも死にたい」。マスクをして歩き回ることは、ディリーにとっては、最も基本的なレベルで人間の尊厳と相いれない。だから彼はマスクを拒否している。つまり、危険に晒されているのは、人の〈生〉に対する我々の基本的な態度である。我々はディリーのように個人の自由を侵害するあらゆるものを拒否するリバタリアンなのか。大多数の経済的安定のために数万の命を犠牲にしてもかまわない功利主義者なのか。厳しい国家統制と規制だけが我々を救うと信じる権威主義者なのか。パンデミックは自然からの警告、天然資源の搾取に対する天罰と考えるニューエイジのスピリチュアリストなのか。神は我々を試しているだけで、最終的には解決方法を見つけるよう導いてくれると信じるのか。こうした態度の一つひとつは、「人間とは何か」の考え方に依存しており、ある意味、我々がどの程度、哲学者であるかを示している。

ジョルジョ・アガンベンによれば、パンデミックと闘うために実施されている政府の対策を受け入れれば、人間であることの核である開かれた社会的スペースを放棄することになるだけでなく、国家行政が使う科学技術によってコントロールされる個別の生存マシンになるという。だから、たとえ自宅が火事になっても、勇気を振り絞って通常どおりの生活を続け、やがて尊厳を持って死ぬべきだという。

> 家が火事になったら、私がしていることは何も意味をなさない。だが、家が火事になったときでも、これまでどおり、注意深く正確にすべてをやり続ける必要がある。おそらく、これまで以上に。たとえ誰も気づかなくても。おそらく、生命それ自体が地表から消え去るだろう。おそらく、善かれあしかれ、何がなされたのか一切の記憶も残らない。しかし、これまでどおり続けるのだ。変わるには遅すぎる。もう時間がない。[81]

81. Giorgio Agamben, "When the House Is On Fire," *Ill Will*, October 27, 2020, https://illwilleditions.com/when-the-house-is-on-fire

アガンベンの論述にある曖昧さに注意が必要だ。「家が火事になる」のはパンデミック（あるいは気候変動）のせいか、それとも、パンデミックの現実に対する我々の（過剰な）反応のせいなのか。彼はこうも言う。「今、炎はその形と質を変え、デジタルの目に見えない冷たいものになった。それでも、まさにこの理由から、炎はさらに我々に近づき、常に我々を取り囲んでいる」。この一節は、基本的な危険の位置づけにはっきりとハイデッガー主義が感じられる。我々のパンデミックへの反応を規制する医学やデジタル制御の能力が、パンデミックによって強化されたと見る点である。

さらに、この論文の最後の段落で、アガンベンは、新しい形のポスト・ヒューマン時代のスピリチュアリティが出現する可能性を残している。

> 波打ち際の砂に描かれた顔が消されるように、今日、人間が消えている。しかし、その代わりになるものは、もはや世界を持たず、権力と科学の計算のなすがままの、沈黙した、歴史も持たない、むき出しの命である。だが、おそらく、何か別のものがいつの日かゆっくり、あるいは突然、現れ始めるのは、唯一、この破壊からである。現れるのは、むろん、神ではなく、かと言って他の人間でもない。新しい生き物、おそらく、他の生ける魂である。

明らかにアガンベンは、フーコーが『言葉と物（*Les mots et les choses*）』で書いた、波に洗われる砂に描かれた絵のように ヒューマニストが消えていく様子の有名なくだりに言及している。我々は実質的に「ポスト・ヒューマン時代」と呼べる時代に入りつつある。これを引き起こしたのは、パンデミックや地球温暖化のようなカタストロフィだけでなく、我々の精神生活への直接のデジタルアクセスを含めた、我々の〈生〉のデジタル化でもある。それは人間であることの基本的な座標をも侵食する。

では、（ポスト）ヒューマニティは、どう作り変えられるのだろうか。手がかりが一つ。アガンベンは身を護るマスクの着用に反論する中で、暗にレヴィナスに言及している。特に「その〈顔〉は私に語りかける。それによって、執行される権力とは不釣合いな関係へと私を招く」というレヴィナスの記述だ。その〈顔〉は相手の身体の一部であり、〈顔〉を通じて〈他者〉の評価不能な〈他者性（Otherness）〉の深淵が生じる。[82] よって、アガンベンの明らかな結論はこうなる。マスクは顔を見えなくするという点で、人の顔によって反響する見えない深淵自体を見えなくしてしまうということだ——本当に？

この主張に対しては、フロイト派の明確な回答がある。フロイトは、分析セッション（分析が本格的になった段階、いわゆるウォーミングアップの後）において、患者と分析者は〈顔〉と〈顔〉を合わせて対峙しているのではないことを、フロイトはよく理解していた。〈顔〉は、最も基本的に「嘘」、あるいは究極のマスクであり、分析者は他者の顔を見ないことによっ

82. Krishnan Unni P, “The Mask Is the Cultural Icon of the Pandemic,” the *Indian Express*, September 24, 2020, https://indianexpress.com/article/opinion/columns/coronavirus-india-updates-death-toll-face-masks-6436379/ を参照

てのみ他者の深淵に応えるのである。

ポスト・ヒューマンの挑戦を受けることが、我々の唯一の希望である。ニコル・A・バリア－アセンジョがこれから出版される本のタイトルにしたように、「(古い)正常性への回帰」を夢見るのではなく、我々は新しい正常性を構築するという難しく痛みを伴うプロセスに取り組まなければならない。この構築は、医療や経済の問題ではなく、深く政治的な問題である。我々の社会生活全体を、新たに作り上げるしかないのである。

第二十三章

「グレート・リセット」？ ええ、お願いします——でも、本当のやつを！

思い返せば二〇二〇年四月、新型コロナウイルスの流行を受けて、ユルゲン・ハーバーマスは「今、メディアでネットワーク化された個人個人の心の中に、実存的な不確実性が世界同時発生的に拡大しつつある」と指摘し、「我々の無知について、そして、不確実性のなかの行動と生活の制約について、これほど多くを知ったことはかつてなかった」と述べた。[83] 加えて、この無知はパンデミックそのものに関するだけでなく（少なくともこれについては専門家がいる）、それ以上に経済的・社会的・心的な影響に関する無知だと言うハーバマスは正しかった。

ハーバーマスの正確な表現に注目しよう。単に何が起きているのか分からないだけでなく、分からないのだということを我々は知っている。だが、この無知それ自体が社会的事実として、諸制度の機能に刻み込まれているのである。たとえば、中世あるいは近代初期の人々が知っていたことは、今よりずっと少なかったことを我々は知っているが、彼らはそのことを知らなかった。自分たちの宇宙は意味のある全体性であると保証する、何か安定した

83. Markus Schwering, "Jürgen Habermas über Corona: 'So viel Wissen über unser Nichtwissen gab es noch nie,'" *Frankfurter Rundschau*, April 10, 2020, https://www.fr.de/kultur/gesellschaft/juergen-habermas-coronavirus-krise-covid19-interview-13642491.html. ドイツ語原文は「verbreitet sich jetzt existentielle Unsicherheit global und gleichzeitig, und zwar in den Köpfen der medial vernetzten Individuen selbst… So viel Wissen über unser Nichtwissen und über den Zwang, unter Unsicherheit handeln und leben zu müssen, gab es noch nie」

イデオロギーの基礎に依存していたからである。同じことが、歴史の終わりに関するフクヤマの考え方も含め、一部の共産主義のヴィジョンにも言える。歴史がどこへ動いていくか知っていることを前提としているからだ。

もう一点ハーバーマスが正しいのは、不確実性を「メディアでネットワーク化された個人個人の心の中」に置いたことである。ワイヤード（通信回線で繋がれた）宇宙とのリンクは、我々の知識を驚異的に拡大したが、同時に、我々をラディカルな不確実性の中に放り込んだ（ハッキングされているのか。誰がアクセスをコントロールしているのか。読んでいるニュースはフェイクなのか）。アメリカ政府機関や大企業が海外からのハッキングにあっていることが次々明らかになるのは、この不確実性の好例である。人々は、ハッキングが生じる範囲や方法さえ特定できないことに気づきつつある。アメリカにとってウイルスの脅威とは、生物学的な脅威であるだけでなく、デジタルの脅威でもあるのだ。

パンデミック後の社会がどんなふうになるのか想像しようとするとき、「未来学」は避けるべき罠である。体系的な未来の予想と定義されている「未来学」は、その定義からして我々の無知を無視している。社会の現在の傾向から外挿するのだが、そこが問題である。「未来学」においては、歴史の「奇跡」――起きた後に遡及的にのみ説明されるうるラディカルな断絶は考慮されない。

この点をフランス語の「futur」と「avenir」の違いを使って考えてみると、「futur」は何であれ現在の後に来るものを表すが、「avenir」はラディカルな変化を指向している。同じように、たとえば大統領が再選されると「今の大統領で次の次期大統領（the present and future president）」とは言えるが、「来るべき大統領（president to come）」ではない。それは別の人物が大統領になることを意味する。コロナ後の宇宙は、単にまた次の未来になるのか、それとも「来るべき（to come）」新しい何かになるのか。それを左右するのは科学だけでなく、政治的判断でもある。確かにアメリカ大統領選挙の「嬉しい」結果は世界中のリベラルをホッとさせたが、これに幻想を持つべきではないと、言っておかなければならない。

ジョン・カーペンターの映画『ゼイリブ（They Live）』は、ハリウッド左派によるあまり話題にならない傑作の一つだ。主人公ジョン・ナダ（Nada はスペイン語で「何もない」の意）はホームレスの労働者で、偶然、廃墟になった教会でサングラスがぎっしり入った段ボール箱を見つける。そのサングラスを懸けて通りを歩いてみると、おいしそうなチョコレートの色鮮やかな広告看板が、「従え」と言う単語だけになっている。熱く抱きしめ合う華やかなカップルの広告は、サングラスを通して見ると、「結婚して子供を作れ」という命令に見える。紙幣には「これがお前の神だ」と書いてあり、魅力的に見える街の人たちは、実は金属の頭を持つ不気味なエイリアンであることが分かる。

今、インターネットでシェアされているのが、『ゼイリブ』のシーンにバイデンとハリスを使った画像である。普通に見ると、「癒しの時（TIME TO HEAL）」という勝利宣言で使われた言葉と共に二人が微笑んでいる画像なのだが、サングラスを懸けて見ると、「服従の時(TIME TO HEEL)」になっている。

これは、もちろん、我々の生活をコントロールする匿名の機関の手先だとして、バイデンとハリスを貶めるためのトランプのプロパガンダなのだが、そこには一粒(以上)の真実がある。確かに、バイデンの勝利はトランプ以前の「正常性」が未来に続くことを意味し、この選挙結果には安堵が広がったわけだ。だが、実はこの「正常性」は匿名のグローバル資本による支配を意味し、それこそが我々の中にいる真のエイリアンである。私の若いころ、ソ連的「官僚的」社会主義に対抗する「人の顔をした」社会主義が切望されたのを思い出す。今、バイデンは「人の顔をしたグローバル資本主義」を公約にしているが、その顔の下には同じ現実が残ることになるだろう。

教育においては、この「人の顔」が「安寧(well-being)」への固執となって現れる。今の学生たちは、外部の現実の恐怖から匿ってくれるバブルの中で過ごし、教育はもはや社会の厳しい現実に目を覚まさせる効果を期待されていない。だから、「ここは安全だからメンタルがやられたりしない」と言われるときは、正反対の主張で反論しなければならない。「そんな虚偽の安全性は我々を脆弱にするだけで、いざ社会の現実に対峙しなければならないときに、メンタルの危機に対応できなくなる」と。「安寧」の重視は、現実に偽りの「人の顔」を与えるだけで、現実そのものを変える力を我々に与えない。バイデンは、究極の「安寧」な大統領である。

じゃあ、なぜ、バイデンはトランプよりましと言えるのか。バイデンも嘘をつくし、大資本を代表しているし、ちょっと礼儀正しい形でやっているだけだ、と批評家は指摘する。だが、残念ながら、この形が大事なのである。トランプはスピーチを卑俗化することによって、我々の生活の倫理的実体――ヘーゲルが個人の道徳（morality）と対比して〈人倫（Sitten）〉と呼んだもの――を蝕み続けた。実はこの卑俗化は世界的なプロセスである。ヨーロッパの例を挙げるなら、ハンガリーの文化庁長官シラード・デメテル。ブタペストのペトゥーフィ博物館館長でもある彼は、二〇二〇年十一月、あるコラム記事にこう書いた。「ヨーロッパはジョージ・ソロスのガス室と化した。開かれた多文化社会というカプセルから、毒ガスが流れ出している。ヨーロッパのライフスタイルを死に至らしめるガスだ[84]」。さらに、デメテルはソロスを「リベラル総統」と呼び、ソロスの「リベラル・アーリア軍によるソロスの神格化は、ナチスのヒットラー神格化よりも酷い」と主張した。

求められれば、デメテルも修辞上の誇張だったと発言を取り下げるだろうが、それだけでは言外にある恐ろしい意味を払拭できない。ソロスとヒットラーの比較は、深刻な反ユダヤ主義だからである。「ソロスが推進する多文化の開かれた社会は、ホロコーストやリベラル・アーリアの背後にあるアーリア優性思想と同じくらい危険なだけでなく、「ヨーロッパのライフスタイル」にとっては、はるかに危険度が高い」と言って、ソロスをヒットラーと

84. "Hungarian Cultural Commissioner Lights Powder Keg of Controversy after Describing Europe as 'George Soros' Gas Chamber,'" RT World News, November29, 2020, https://www.rt.com/news/508146-soros-hungary-nazi-hitler-comparison/

同列に置いたのだ。

では、このゾッとする見識に代わるものは、バイデンの「人の顔」よりほかにないのだろうか。グレタ・トゥーンベリは、最近、パンデミックから学んだ良いことが三つあると言った。「危機を危機として扱うことができること。科学の意見を聞くことができること。そして、経済の利益より人々の健康を優先して考えられること」だという。[85]確かにそうだ。だが、これらは「できる」ことだ。それなら、他の危機を曖昧にするためにパンデミックを利用することも「できる」ことになる（たとえば、パンデミックなんだから、地球温暖化は忘れろ）。富める者はますます豊かに、貧しいものはますます苦しくなるように、危機を利用することも「できる」（二〇二〇年は、かつてなく急速にこれが進んだ）。科学を無視したり影響を遮断したりすることも「できる」（たとえば、ワクチンを拒否する人々、陰謀論の爆発的拡大など）。

コロナ時代の状況については、スコット・ギャロウェイが、多少とも正確な描写をしている。

皆、大っぴらには言いたがらないが、このパンデミックは、まるで上位10％を上位1％に絞り、残り90％をさらに蹴落とすために仕組まれているように感じる。（…）三百万人の領主に、三億五千万人の農奴がいるような国家へと我々は突進している。民衆ではなく、企業を守ることに決めたのだ。共感の柱を再建しない限り、資本主義は文

85. Suyin Haynes, "'We Now Need to Do the Impossible.' How Greta Thunberg Is Fighting for a Greener Post-Pandemic World," *Time*, December 8, 2020, https://time.com/5918448/greta-thunberg-coronavirus-climate-change/

字どおり自壊へと向かう。（…）資本主義とは、企業とダーウィン主義者を愛し共感し、個人には冷酷であることを意味すると我々が決めたのだ。[86]

では、ギャロウェイの考える解決策とは何か。社会の崩壊を防ぐにはどうすればよいのか。解決策は創造的な破壊のプロセスを通じて、資本主義に愛を戻すことだと彼は言う。失業した人々を保護し、倒れる企業は倒れるに任せる。「我々が人々の解雇を許すからこそ、アップルは出現し、サン・マイクロシステムズを消滅させることができた。我々は信じられない繁栄を享受し、人々に対してもっと共感を持つようになる」とギャロウェイは論じる。だが、当然の疑問は、この謎めいた「我々」が誰なのかだ。そもそも、どんな再配分が行われるのか。勝者（この場合、アップル）の税率を引き上げる一方で、その独占的な立場の維持を許すということか。ギャロウェイの考え方には、弁証法的な香りがする。不平等と貧困を削減する唯一の方法は、市場競争がその残酷な仕事をするのを許す（人々の解雇を許す）ことだ。そして……何だって？　市場メカニズムそのものが、新しい仕事を生むのを期待しているのか。あるいは国家か。「愛」や「共感」はどう運用されるのか。それとも、勝者の共感を当てにして、勝者がみなゲイツやバフェットのように行動するのを期待するのか。私は、この市場メカニズムを道徳や愛や共感で補おうとするのは、甚だ問題だと考える。両方の世界（市場メカニズムと道徳的な共感）のいいとこ取りができる可能性よりも、両方の悪いところ

86. "Capitalism 'Will Collapse on Itself' Without More Empathy and Love: Scott Galloway," Yahoo Finance, December 1, 2020, https://finance.yahoo.com/news/capitalism-will-collapse-on-itself-without-empathy-love-scott-galloway-120642769.html; また、Scott Galloway, *Post Corona: From Crisis to Opportunity*（New York: Portfolio, 2020）も参照

だけが残る可能性が高いからだ。

この「透明性と信憑性と人間性を持って主導する」という「人の顔」は、ゲイツであり、ベゾスであり、ザッカーバーグであり――人道的ヒーローを装う権威主義の株式会社資本主義の面々に他ならない。メディアに誉めそやされ、賢明な人道主義者として引用される、新しい貴族階級なのである。

ビル・ゲイツは慈善事業に何十億ドルも寄付しているが、エリザベス・ウォーレン上院議員が提案したちょっとの富裕税に猛反対したことを忘れてはならない。ゲイツはピケティを称賛し、かつては自分は社会主義者だと言わんばかりだった。これは、非常に特殊な、ひねくれた意味で、そうだったと言えるかもしれない。彼の富はマルクスが〈コモン〉と呼んだもの、我々が移動したり意思伝達したりする共有の社会空間を、彼が私有化することによって得られたものだからだ。ゲイツの富は、マイクロソフトが販売する製品の生産コストとはまったく関係がない（マイクロソフトは自社の知識労働者に比較的高い給与を払っていると言うことはできる）。競合他社よりも安い価格で優れたソフトウェアを生産したという成功の結果ではないし、雇用する知識労働者の高次の「搾取」の成功の結果でもない。ビル・ゲイツが世界一の金持ちになったのは、何億人もが使う通信プラットフォームを私有化し、コントロールし、その使用料を独り占めしたからである。

ほとんど皆が使う通信ソフトウェアをマイクロソフトが私有化したのと同じように、フェイスブックは個人的な交際を私有化し、グーグルは情報検索を私有化した。これら〈コモンズ〉の私有化を通じて新興してきた新しいメガ企業の存在は、我々が新しい封建制度、封建的資本主義の台頭を目撃しているのだという見方の正しさを、（少なくとも、ある程度は）証明している。そして、〈コモンズ〉をコントロールすることにより、新しい主人たち（ビル・ゲイツ、イーロン・マスク）は、封建的領主に似た行動をとるのである。

「コミュニケーション資本主義」を提唱したジョディ・ディーンを引用するなら、

資本家が商品の生産を通じて賃金労働者が生み出す剰余価値に由来する富を得ているのとは違い、この領主は独占と強制と使用料を通じて価値を引き出している。（…）デジタルプラットフォームは、新しい水車小屋だ。ビリオネアである小屋の所有者が新しい領主であり、数万の労働者と数億のユーザーは、新しい小作人である。[87]

これが、アップル、マイクロソフト、フェイスブック、グーグルの仕組みだ。我々には選択の自由が残されているが、選択の範囲は、どの企業が〈コモンズ〉のどの特定部分を私有化したかで決まる。必要な情報はグーグルを通じて探すし、自分が公開するアイデンティティはフェイスブックを通じて自由に決める、という具合だ。これらメガ企業は、我々の未来を植民地化しようとし（ゲイツは定期的に未来の暮らしを組織化する枠組みを提案している）、はては

87. Jodi Dean, “Neofeudalism: The End of Capitalism?” *Los Angeles Review of Books*, May 12, 2020, https://lareviewofbooks.org/article/neofeudalism-the-end-of-capitalism/

宇宙空間まで狙っている（マスクは多くの人工衛星を所有し、火星に居住施設を作る計画をしている）。

したがって、デジタル企業の力に対するトランプの「反乱」にも、一抹の真実が含まれている。この点、トランプのポピュリズムの最大の推進者スティーヴ・バノンのポッドキャスト「ウォールーム」は一見の価値がある。いかにバノンが数多くの部分的な真実も取り入れて全体的な嘘を作っているか、目を見張らずにはおられない。たとえばオバマ政権下で貧富の差は非常に拡大し、大企業はより強くなったという主張は真実だが、トランプ政権下でもこの傾向はそのまま続いたし、そのうえトランプは減税と紙幣の増刷で企業を救済した。つまり、我々の目の前にあるのは、とんでもない虚偽のオプションだ。大掛かりな企業のリセット、あるいは巨大企業に敵対しているふりをしながら、結局は同じという国家主義ポピュリズムである。要は、「ザ・グレート・リセット」は、物事を基本的に同じにしておくために、何かを（あるいは、多数を）変える公式なのである。

では、古い正常性への回復もしくは企業の「グレート・リセット」という両極端以外の、第三の方法はあるのだろうか。ある。本当の「グレート・リセット」だ。何をしなければならないかは、明らかである。グレタ・トゥーンベリがすでに明らかにしている。

第一に、パンデミックの危機を、あるがまま認識しなければならない。エコロジーから新しい社会的緊張まで、我々のライフスタイル全体に関わる世界的な危機の、パンデミックはその一部であるという認識だ。

第二に、経済に対する社会的なコントロールと規制を確立しなければならない。そして第三に、科学にもとづかなければならない。ただし、意思決定の代理人として科学を受け入れることはしない。なぜか。最初に言及したハーバーマスに戻ろう。我々の問題は、置かれている座標全体を理解していないことを知りつつ行動を強制されることであり、一方で行動しないことはそれ自体が行動として働きうることである。だがそれはどんな行動にも当てはまる状況だろう。むしろ我々の大きな強みは、自分たちがどれほど分かっていないかを知っていることであり、この分かっていないことを知っていることが、自由のための空間を開く。全体の状況が分からない中で行動するからといって、それは単なる制限ではない。我々に自由を与えるのは、状況自体が（少なくとも社会の中で）オープンであり、完全には（あらかじめ）定められていないことである。

パンデミック下の現在の状況は、オープンである。すでに我々は最初の教訓として、「軽めのロックダウン」では十分でないことを学んでいる。彼らは「我々」（我々の経済）はもう一度厳格なロックダウンをやったらもたない、と言う。だったら、その経済を変えよう。ロックダウンは、既存の秩序の「範囲内」では、最もラディカルでネガティブな行為である。そこから新しいポジティブな秩序に向かって、道は、科学ではなく政治を通じて続いている。やらなければならないのは、経済生活を変え、今後も必ずやってくる数々のロックダウンや緊急事態にも耐え抜けられる経済にすることである。ちょうど、戦争によって市場の制約を無視してでも、自由市場経済下では「不可能」なことを実行する方法を探さざるを得ないのと同じである。

遡って二〇〇三年三月、当時の国防長官ドナルド・ラムズフェルドが、既知のことと未知のことの関係について、少し素人っぽい哲学的思索にふけって見せたことがある。「既知の既知がある。既に知っていることを知っていることだ。既知の未知もある。いわば、まだ知っていないことを知っていることである。しかし、未知の未知もある。まだ知らないことを知らないことだ」と述べた。[88] ラムズフェルドが付け加え忘れたのは重要な四つ目だ。「未知の既知」、すでに知っていることを知らないことである。これはまさに、フロイトの無意識であり、ラカンがかつて言った「知識自体が知らない知識」のことだ。もし、ラムズフェルドが、イラクとの対決の主な危険は「未知の未知」である、すなわち、我々が気づいてさえいないサダムからの脅威だと考えたのなら、我々は、主な危険はその逆で、「未知の既知」、我々自身に付きまとっているのに気づいていない、否定された信念や想定だと言うべきだろう。

「自分たちの無知についてこれほど多くを知ったことがない」というハーバーマスの主張を、この既知と未知のカテゴリーを使って、読み直してみると面白い。パンデミックは、我々が知っていることを知っている(と思っていた)ことを激震させた。知らないことを知らなかったと気づかされた。そして、パンデミックに対峙する方法においては、我々は知って

88. この例を私は何度も著作で用いてきた。特に『Defense of Lost Causes』(London: Verso Books, 2017)の第九章で詳しく扱っている。

いることを知らないこと（気が付いてもいないのに行動を決定するあらゆる推定や先入観）に依存してしまった。単に無知から既知への移行を言っているのではなく、無知から無知だと知っていることへの、もっと捉えにくい移行を言っている。この移行においても有益な既知は変化がないが、行動のための自由空間を我々は手に入れることができる。

中国（および台湾とベトナム）のパンデミックへのアプローチが、ヨーロッパやアメリカよりはるかに優れていたのは、知っていると知らないこと、つまり推測と先入観に関してである。「確かに、中国人はウイルスを封じ込めた。だが、どれほどの犠牲を払ったか」という、繰り返し聞かされる主張に私は辟易しているところだ。中国で本当に何が起きていたのか全容は内部通告者からしか知りえないが、武漢でウイルスが発生したとき、当局はロックダウンを強行し、国内の生産の大方を停止し、経済よりも人命を優先したのは明らかな事実だ。多少遅れがあったのは確かだが、中国はこの危機を極めて重大に受け取った。今、彼らは経済面も含めて、その報酬を受け取っている。

はっきりさせておくが、これが可能だったのは、共産党がまだ経済をコントロールできているからである。「全体主義的」な統制ではあるが、市場メカニズムに対する社会のコントロールが存在する。しかし、今再び問うべきは、中国がどうやったのかではなく、我々がどうすべきかである。中国のやり方だけが唯一の有効なやりかたではない。あらゆる測定可能な意味で、「客観的に必要」なのでもない。パンデミックは単なるウイルスのプロセスではなく、経済的・社会的・イデオロギー的な可変的座標の中で起きる、ひとつのプロセスだからだ。

さて、二〇二〇年の年末の今、ワクチンが効くという希望と深まる抑うつとが交錯する、クレージーな時期に我々はある。感染数の増加と、ウイルスに関してほとんど毎日のように発見される「何をすべきか」「分からないこと」のせいで、絶望感すらある。だがこれについては、基本的に「何をすべきか」の答えは簡単だ。危機に際して国民のニーズに応えられるよう、医療と経済を立て直す手段も資源もある。ただ、ブレヒトの戯曲『母』の「共産主義を褒めたたえて」の最後のセリフを引用するなら、「共産主義は単純な、だが実行は難しいこと」である。実行を難しくする多数の障害があり、その最たるものがグローバル資本主義の秩序とそのイデオロギー上の覇権である。

では、我々には新しい共産主義が必要なのだろうか。そのとおりだが、必要なのは「ほどほどに保守的な共産主義」とでも呼びたいものだ。ウイルスその他の脅威に対抗するための世界的な動員から、市場メカニズムを制約し経済を社会化するための手続きの確立まで、必要なあらゆる段階を含んでいるが、保守的（人間の生活条件を保守する努力という意味で、逆説的に、物事の変化を必要とする）かつ適度な（講じる対策の予期せぬ副作用を慎重に考慮する）やり方で行われる共産主義である。

エマニュエル・ルノーが指摘するとおり、マルクス主義の主要カテゴリーのうち、階級闘争を政治的経済への批判の中心に取り入れるカテゴリーは、いわゆる〈傾向的法則(tendential laws)〉のカテゴリーである。これは、「利潤率の低下の傾向」など、資本主義発展において必要な〈傾向〉を表した法則である(ルノーも言うように、すでにアドルノが、マルクスの「Trendenz」の概念は「trend」に単純化できないと主張している)[89]。この〈傾向〉を説明するため、マルクス自身は〈敵対(antagonism)〉という語を使う。「利潤率の低下」は、資本家に労働者の搾取を強化させ労働者の抵抗を生む〈傾向〉であり、結果は定まらず、闘争によって左右されることになる。たとえば、一部の福祉国家において、組織化した労働者が資本家に相当な譲歩を余儀なくさせたのがこれにあたる。今私が言う共産主義は、まさにこのような〈傾向〉である。理由は明白だ。我々が健康と環境の脅威と闘うためには、世界的な行動が必要であり、経済は何らかの形で社会化される必要があるからである。そして、グローバル資本主義のパンデミックに対する一連の顕著な反応——偽りの「グレート・リセット」だの、国家主義ポピュリズムだの、共感に格下げされた連帯だの——は、「共産主義傾向に対する反作用」だとして正確に読みとる必要がある。

では、その「共産主義傾向」はどのように広がるのか。残念な回答だが、今後も繰り返される危機を通じて、である。はっきりさせておこう。新型コロナウイルスは、最も強い意味での「無神論者」なのである。パンデミックがどのように社会的な条件づけをされているかは分析すべきだが、基本的にはパンデミックは意味のない偶発性の産物である。これに「よ

89. T. W. Adorno, *Philosophische Elemente einer Theorie der Gesellschaft* (Frankfurt: Suhrkamp, 2008), p. 37–40 を参照

り深いメッセージ」などはない（中世のペストで言われたような、神の裁きなどではありえない）。

フロイトは、『夢判断（*Interpretation of Dreams*）』の題辞として、ウェルギリウスの有名な一節「冥界を動かさん（acheronta movebo）」を選んでいるのだが、もうひとつ候補も考えていた。ミルトンの『失楽園（*Paradise Lost*）』中のサタンの言葉「希望からどんな強化が得られるのか。得られないなら、絶望からどんな解決が得られるのか」である。これは、我々、地球を破壊しつつある現代のサタンとしての我々が、ウイルスとエコロジーの脅威に示すべき反応である。自分たちの状況に望みがないと認めざるを得ないなら、我々は絶望から解決を得なければならない。状況を絶望的と認め、固く決意して行動しなければならない。

グレタ・トゥーンベリを再び引用するのなら、「できる限り努力するのでは、もはや十分ではない。今私たちは、一見不可能なことをする必要がある」のだ。「未来学」は「可能なこと」だけを扱う。だが我々は、（既存の世界秩序の観点からは）「不可能なこと」を実行する必要がある。

第二十四章
コロナ禍のキリスト

イエス・キリストの誕生を祝うクリスマス。ユニークな、かつ、ヘーゲルに言わせれば、非常に奇怪な（グロテスクな不均衡において、使者でも預言者でもなく、神その人が、我々の普通の現実の中に普通の人として現れる）このイベント。狂暴なパンデミックによって人間らしさの多くの部分が不自由になり、地球温暖化から社会不安まで、数多くの危険に晒されている今日、クリスマスは我々にどんな意味があるのだろうか。

パンデミックがかつての日常生活を破壊してしまい、永遠の緊張や抑うつに捉えられた我々は、ある種の地獄にいる。そこにキリストが登場する。しかし、いかにして？　標準的な回答はこんな感じか――特に困難なときに、私たちを愛し、守ってくださる全能の力があることを思い出さなければならない。そして、祈りの中で神に帰依し、運命を信じなければならない。どれほど暗い状況でも、救済は近い。神は私たちに警告を送るため、パンデミックが起きることを許されたのかもしれない……。

私は、このような古典的な考え方は、丸ごと捨て去るべきだと考えている。我々はもっと努力してキリストのユニークな役割を理解するべきで、それは伝統的なキリスト教信仰からだけでなく、神秘主義からも自由になることである。神秘主義と言えば、もちろん、マイスター・エックハルトである。エックハルトのものとされる（著作の中にはない）言葉に、「イエスのいない天国よりも、イエスのいる地獄にいたい」というのがある。この言葉は単に仮説としてではなく、実際に我々が行うべき現実の選択、神とキリストの間の選択、そして、天国と地獄の間の選択として読むべきである。アルチュール・ランボーは『地獄の季節（*Une saison en enfer*）』のなかで、「俺は自分が地獄にいると信じている。だから俺は存在する」と書いているが、これは完全なデカルト的意味で、「地獄においてのみ、私は唯一無二の私として存在できる」と理解しなければならない。

神秘主義者たちは、被造物の一時的な秩序から永遠の根源的な深遠まで進むのだが、重要な疑問を避けている。被造物はどのようにこの根源的な深遠から生じるのか、だ。「一時的な有限の存在から、どのように永遠に到達できたのか」ではなく、「永遠それ自体が、どのように一時的な有限の存在に成り下がるのか」である。唯一の答えは、こうだ。永遠は究極の牢獄、あるいは息の詰まるような閉塞であって、人間の（そして神の）存在の中に〈間隙（Opening）〉を作れるのは、被造物としての〈生〉への堕落だけだからである。

この点を非常に明瞭に示したのが、G・K・チェスタトンである。彼は「仏教とキリスト教のいわゆる霊的アイデンティティ」に関する流行りの主張について書いた。「愛は個性を必要とする。したがって、愛は分断を必要とする。神が世界をバラバラにしたことを喜びとするのは、キリスト教信仰の本能である。キリスト教信仰は、分断と自由をもたらす剣である。他のどんな哲学も、世界を生ける魂に分断することにおいて神を喜ばせはしない」と説いた。[90] そして、人間が神を愛するためには、神が人間を神自身から隔てるだけでは十分でないことに、チェスタトンは気づいていた。この分離は神自身の中にそのまま反映されなければならず、その結果、神は神自身によって遺棄されると考えた。「世界が震撼し、天から太陽が消し去られた時、それは磔刑の十字架にあるのではなく、十字架からの叫びにあった。神が神から見放されたことを告白した叫びである」。

この人間の神からの分離と、神の神自身からの分離の重なりゆえに、

（キリスト教信仰は、）恐ろしいほどに革命的である。良き人も窮地に追いやられる可能性があることは、すでに我々が知っていることである。しかし、神が窮地に追いやられる可能性があるというのは、すべての反乱者にとって末代までの自慢の種だ。キリスト教は、全能が神を不完全にしたと考える唯一の宗教である。キリスト教だけは、神が完全に神であるためには、王であるとともに反逆者でなければならなかったと考える宗教である。

と、チェスタトンは言う。「簡単に議論できるような問題より、もっと暗く恐ろしい問

90. G. K. Chesterton, *Orthodoxy* (San Francisco: Ignatius Press, 1995), p. 139.

題」に我々が近づきつつあることを完全に意識している。「〈受難（Passion）〉の恐ろしい物語の中に、万物の創造者が（何か考えられないような形で）激しい苦痛だけでなく、疑惑も経験したということははっきりと感情的な示唆がある」と書いている。無神論の典型なら、解放された人間は神を信じることを辞める。だが、キリスト教においては、神が神のために死ぬ。「父よ、なぜわたしをお見捨てになったのですか」という叫びのなかで、キリスト自身が、キリスト教徒にとっては最大の罪を犯すのである。キリストは自分の信仰に迷いが生じるのだ。

このパラドクスを真摯にとらえるなら、一般的な超越した神の姿に逃げ込むことはできなくなる。我々には無意味と思われるカタストロフィの意味を知っている神秘の〈主人（Master）〉としての神、あるいは、破滅の原因として我々が知覚するものも世界の調和に寄与しているという全体を見ている神――の姿には逃げられない。

ホロコーストや、最近のコンゴでの数百万の死亡者といった出来事を目の当たりにするとき、こんな恐怖が〈全体（the Whole）〉の調和への寄与という深い意味を持つなどと言うのは、非道ではないのか。ホロコーストのような出来事を目的論的に正当化し、汚名をそそぐような〈全体〉は、果たしてあるのか。

十字架上のキリストの死が意味するものは、我々の行動の幸せな結果を保証する超越した管理人としての、歴史的目的論の保証人としての神の観念を、容赦なく削除すべきだという ことである。キリストの死はまさにそういう神の死であり、歴史上のカタストロフィの残酷な現実を曖昧にするような、いかなる「深い意味」をも、その死が拒否している。

このことは、「アウシュビッツに神はいたのか」という永遠の問いに対して、キリスト教的に唯一の矛盾のない答えを出すことにも繋がる。神はどうしてあのような塗炭の苦しみを許しえたのか。なぜ神は介入して、それを防がなかったのか。その答えは、「私たちは地球上の苦しみから逃れ、私たちの逆境より高い所に住む神のありがたい安らぎと一体になることを学び、人の悩みなど最終的には無であることに気づかなければならない」（標準的な異教徒的答え）でもなければ、「神は自分が何をなさっているか知っており、私たちの苦しみに何らかの形で報い、私たちの傷を癒し、罪を罰してくださる」（標準的な目的論的答え）とかでもない。

その答えは、たとえば、映画『ルワンダの涙（アメリカではBeyond the Gatesとして公開）』の最後のシーン。キリスト教学校に隠れたツチ族の避難民たちは、やがてフツ族の暴徒に惨殺されることを知っている。その学校の教師である若いイギリス人は絶望に打ちひしがれ、父親的な存在である年かさの神父（ジョン・ハートが演じる）に尋ねる。「この惨殺を止めるべきキリストはどこにおられるのか」。神父は、「キリストはここにおられる。これまでよりもずっと近く。そして我々と共に苦しんでおられる」と答える。そう、我々が絶望の中で運命を恨むとき、高位の力は救ってくれないことを勇気をもって受け入れるとき、我々と共に神はいるのだ。

だから、クリスマスが本当に意味することは、「我々は安全で、高いところにいる誰かが私たちを心配し、使いとしてその息子を我々のもとに送られたのだ」ではなく、「我々は孤独で、自分の運命に責任を負っている」ということだ。この超越的な支援がないことは、自由の別名である。キリストは、自由という神からの贈り物を具体化したものなのだ。あるいは、メタルバンド、ラムシュタインの「Ohne Dich」の歌詞のように、「あなたなしで僕は生きられない。あなたといると僕はひとりぼっちだ」。キリストと共にあるときのみ、我々は本当に孤独になる。

今日、我々がキリストと共に行動するのは、パンデミックやその他のカタストロフィの責任を我々が引き受け、世界的な連帯でともに行動し、高い所の力は幸せな結末を保証しないことに気づいているときだけである。この世界的な連帯の洗礼名は「聖霊（Holy Spirit）」だ。愛で結ばれたと信者のコミュニティである。死後の復活をどうやって知るのかと弟子に問われたキリストは、お互いの愛があるとき、自分はそこにいると答えた。キリストは弟子どうしの愛のつながりとして復活するのであって、弟子たちを団結させる高位の力としてではない。

第二十五章
最初は茶番、それから悲劇？

「歴史は繰り返す。先ず悲劇として、次は茶番として」。よく知られたマルクスの言葉である。このときマルクスは、ナポレオン一世の失脚と、その後の甥ナポレオン三世の治世の茶番を念頭に置いていた。そのずっと後、一九六〇年代になって、ヘルベルト・マルクーゼは、ナチズムの教訓はこの正反対だと指摘した。最初が茶番（一九二〇年代、ヒトラーとその取り巻きは、取るに足らない政治的ピエロの集団として扱われていた）で、次が悲劇（ヒトラーが実質的に権力の座につく）ではないかと。

二〇二一年一月、トランプを支持する暴徒によるアメリカ連邦議会の襲撃は、深刻なクーデター未遂などではなく、ひたすら茶番だった。Qアノンの支持者で、今は「角のついた「ヴァイキング」の帽子をかぶって議会に侵入した男」として有名になったジェイク・アンジェリが、暴徒たち全体のフェイクを体現している。ポップカルチャーではヴァイキングの戦士は角のついた兜を被っているものだが、ヴァイキングの兜に角が付いていたという証拠はなく、そんな兜は十九世紀初頭のロマン派の想像である。この抗議者たちの真正性もそのくらいのものだ。

連邦議会で起こったことは、クーデター未遂ではなく、お祭り騒ぎである。ラッセル・スブリグリアがこの出来事についてコメントしている。

「泥棒を止めろ（Stop the Steal）」は、トランプ支持者たちが議会を襲撃する際に唱えていたスローガンだ。「享楽の盗み（theft of enjoyment）」の論理として、これほど優れた例示はあるだろうか。「泥棒を止める」ためという今回の議会襲撃が持つ快楽主義的な、お祭り騒ぎ的な本性は、単にこの暴動の試みに付随的な特徴だったのではない。国内の他者（黒人、メキシコ人、ムスリム、LGBTQ＋）によって盗まれた（と思っている）享楽を取り返すという点において、お祭り的な要素は間違いなくこの暴動の本質だったのである。[91]

お祭り騒ぎが進歩的な抗議運動のモデルになりうるという考え方は、そうした抗議が形式や雰囲気（芝居じみたパフォーマンスや滑稽なスローガン）の上だけでなく、組織が中央集中型でないという点でもお祭り騒ぎ的であるため、非常に問題が深い。だったら、後期資本主義社会の現実も、すでにお祭り騒ぎ的ではないか。一九三八年の悪名高い「水晶の夜」は、半ば組織化された、半ば偶発的な、ユダヤ系の家庭、シナゴーグ、ビジネス、人々に対する破壊と暴力であるが、（そんなものがあるとして）一種のお祭りということになるのではないか。さ

91. Russell Sbriglia（私信）.

らに「お祭り騒ぎ」は、暴徒のレイプから大衆のリンチまで、無軌道な力の暗部につける名称にもなるのではないか。

ロシアの哲学者ミハイル・バフチンが、一九三〇年代に書いたラブレーに関する本のなかで、スターリン主義者による粛清のお祭りへの直接の回答として、お祭り騒ぎの概念を掘り下げたのを思い出そう。そもそも伝統的に、権力者への抵抗において「下層階級」が採る戦略の一つが、残虐性を示す恐ろし気なディスプレイを使って、中産階級の良識の感覚を揺さぶる戦略だった。しかし、今回の連邦議会の事件によって、お祭り騒ぎはその無実性を再び失ってしまった。

では、この事件も、悲劇として茶番が繰り返されるのだろうか。深刻な暴力によるクーデターにつながるのだろうか。実は、その方向を指し示す不吉な兆候は確かにある。

連邦議会襲撃の翌日に行われた世論調査では、共和党支持者の45%がこの行動を支持し、トランプが力によって大統領の座につくべきと考えていた。一方、43%はこの目的に暴力を使うことに反対か、少なくとも賛成しないと答えた。つまり、極右は約三千万人の支持基盤をすでに作っていることになり、その中でも民主主義の原則を明確に拒否し、独裁的支配を受け入れる意思がある人が増えているのだ。彼らの崇敬の対象が自己愛と認知低下で力をそがれているのは、我々には幸運である。しかしながら、新しいトランプ、妄想性は劣っても実行能力の高い新たなトランプが出現するのは時間の問題である。有権者の大多数の意思に逆らって独裁政権が成立するまでの道は、すっかり出来上がっているのだ。[92]

ただし、トランプは自己愛と認知低下で力をそがれている訳ではない。この二つの特徴はまさに彼の成功の原点である。トランプ支持者の基本的な態度は、「認知低下」の態度である。新型コロナパンデミックも地球温暖化も、アメリカの人種差別や性差別の真の影響も拒否する認知低下。そして、アメリカ的なライフスタイルを脅かすものがあれば、それは陰謀の結果に違いないと信じる認知低下である。まさにこの認知低下から、重大な極右運動が現れた。その基盤となる階級は、(ファシズムのときと同様に)自分の特権を失うことを恐れた下位中産階級の白人労働者と、彼らを密かにに後押しする億万長者たちとの組み合わせである。

アメリカの国家機関には本当に、連邦議会への突入によって混乱が生じたのだろうか。確かにそう見えるかもしれない。異例なことに、「アメリカ軍の制服組トップのマーク・ミリーと各軍の長からなる統合参謀本部は、(一月十二日)火曜日、声明を発表し、先週の連邦議会への乱入を非難するとともに、憲法の支持と擁護および過激主義の拒否は義務であることを思い出すよう、全軍人に呼びかけた」という。[93]

92. Warren Montag, interview by Juan Dal Maso, "It Is Only a Matter of Time Before a More Competent Trump Emerges," *Left Voice*, January 11, 2021, https://www.leftvoice.org/the-far-right-has-never-been-so-powerful-interview-with-warren-montag.
93. Military Joint Chiefs Statement Condemning "Sedition and Insurrection' at US Capitol,"

だが、実は、当局とこの暴徒たちの間には密かな連帯が匂う。多くの指摘があるように、もし、ブラック・ライヴズ・マターのデモが連邦議会を包囲したとしたら、当局の対応はもっとずっと強烈だったはずだ。〔連邦政府議会に突入した〕抗議者たちは制圧されもせず、のうのうと帰宅し（トランプがそう指示した）、近所のバーで行動の成功を祝った。

あるコメンテーターによると、議会襲撃の参加者のほとんどは、「白人の特権という大義のためなら死んでもいい覚悟で、裕福な郊外から飛行機で連邦議会にやってきた」という。[94] おそらくそれは本当だろう。だが、多くは特権が脅かされると考える下位中間層の出身である。巨大企業（新しいデジタルメディア企業、銀行）、国家機関（日常をコントロールし、ロックダウンや、マスクや、銃規制や、その他基本的自由の制限を押し付けてくる）、自然災害（パンデミック、森林火災）、さらには国の財源を食い尽くし増税をもたらす（と彼らが考える）「他者」（貧困層、移民、LGBTQ+）、これらの同盟によって特権が奪われると想像しているのだ。

核心は「俺たちのライフスタイル」というカテゴリーである。バーやカフェ、あるいは大きなスポーツイベントで仲間と楽しく過ごす。車でどこにでも行ける。そして、銃を持つ権利がある。こうした自由を脅かすものは、国の規制（「他者」が対象の場合はOK）であろうが、不公平な中国との貿易だろうが、ポリコレな「テロ」だろうが、地球温暖化だろうが、パンデミックだろうが、すべて拒否し、陰謀だと糾弾する。この「ライフスタイル」は明らかに、階級的に中立ではない。白人中流階級の「これぞアメリカ」を真に体現すると自認する

94. Will Bunch, “An Insurrection of Upper-Middle Class White People,” the *Philadelphia Inquirer*, January 12, 2021, https://www.inquirer.com/columnists/attytood/capitol-breach-trump-insurrection-impeachment-white-privilege-20210112.html

人たちのライフスタイルである。

だから、陰謀の手先（リベラルに支配された「ディープ・ステート」）が選挙を盗んだだけでなく、（徐々に失われている）ライフスタイルをも取り上げようとしているという彼らの主張に対しては、（前に引用したスブリグリアが言うとおり）別のカテゴリー、すなわち「享楽の盗み（theft of enjoyment）」のカテゴリーを充てるべきである。ジャック・ラカンは一九七〇年代初めに、資本主義のグローバル化が新しい形態の人種主義を生むと予言した。我々から享楽（自分のライフスタイルに浸ることで与えられる深い満足）を奪い取る脅威になる〈他者〉や、我々に理解できない過剰な享楽を所有し見せびらかす〈他者〉（あるいはその両方）を集中攻撃する人種差別である（あえて言えば、後者は、ユダヤの秘密儀式に関する反ユダヤ主義者の妄想や、黒人男性の性的能力の高さに関する白人優越主義者の妄想、メキシコ人を強姦魔や麻薬密売人とみる白人アメリカ人などを想起させる）。

ここでいう享楽を、性的快楽などの快楽（pleasure）と混同してはならない。これはもっと深い、〈他者〉のライフスタイルに関する被害妄想をも含む、自らの特定のライフスタイルに対する満足感を意味する。〈他者〉に対する動揺は、普通、料理のにおいとか、音楽の騒音とか、笑い声とか、日々の暮らしの些細な側面で現れる（ちなみに、連邦議会に押し入った抗議者たちに対するリベラル左派の反応にも、似たような幻想と恐怖があったのではないか。社会生活のルールを一時的に停止させ、「そこいらの」人がお祭り騒ぎのように神聖な権力の座に押し入るなんてという非難の中に、ほんの少しの〈妬み〉はなかったか)。

トランプ支持派が「否定」している諸問題がどれほど大きいかを思うと、寒気がする。ワクチンがあっても、新型コロナのパンデミックは広がり続けているし、すでにあった不公平は悪化している。環境問題で言えば、ガーディアン紙の記事のとおり、「この惑星は、「大量絶滅、健康状態の悪化、気候崩壊の大混乱という凄惨な未来」を迎えようとしており、無視と無為ゆえに人間の生存が脅かされている。こう言って、国際的な科学者のグループは、生物多様性と気候の危機がいかに火急の問題か、いまだに理解されていないと警告する」[95]。

だが、今我々が注視すべきは、バイデンの就任式に見られたもう一つの「否定」の要素である。この就任式についてのS・E・カップのコメント。

まるで、何も起きていないかのようだった。ただ、もちろん、起きてはいる。この四年間で、あまりに多くのアメリカ人にトラウマが刻まれ、一朝一夕で消えるものではない。この国には癒しが必要で、バイデンの道のりは遠い。しかし、少なくとも一時間ほど、連邦議会議事堂では、待ち望んでいた狂気からの束の間の解放があった。永遠に二〇二〇年と記録される区切りの瞬間である。[96]

就任式では、若い詩人アマンダ・ゴーマンが『われらが登る丘(ヒル)』を朗読した。トランプが

95. Phoebe Weston, "Top Scientists Warn of 'Ghastly Future of Mass Extinction' and Climate Disruption," the *Guardian*, January 13, 2021, https://www.theguardian.com/environment/2021/jan/13/top-scientists-warn-of-ghastly-future-of-mass-extinction-and-climate-disruption-aoe.

96. SE Cupp, "Did That Really Just Happen?" CNN, January 23, 2021, https://edition.cnn.com/2021/01/20/opinions/post-inauguration-commentary/index.html

現れたのは、まさにこの議事堂がある世界的に有名なキャピタル「ヒル」からである。ゴーマンは詩の中で自らを、「奴隷を祖先に持ち、シングルマザーに育てられたやせっぽちの黒人の女の子。大統領になる夢は見られたけれど、気が付けば大統領のために詩を朗読していた」と表現した。そして、言う。


だから視線を挙げて、自分たちの間に立ちはだかるものではなく、目の前にあるものを見上げれば、
亀裂を閉じることができる。なぜなら、私たちには分かっているから。将来が第一大切なら、お互いの違いは、まず脇へ置かなければならないと。

お互いに手を差し伸べるためには、まず、武器を置かなければならないと。だれも傷つけず、すべての人の調和を求めていると。(…)

この国を分け合うのではなく、この国を粉々にしようとする力の行使があった。

民主主義を遅らせるためなら、この国を破壊してもかまわないとでもいうように。

その企みはほとんど成功しかけたが、民主主義が断続的に遅れてしまうことはあっても、敗北して永遠に倒れ去ることはない。


「イデオロギー」という語に意味があるとしたら、まさにこれだろう。エスタブリッシュメ

ントと進歩派の空想が、荘厳な結束の瞬間に融合している。そして、この結束にすっかり浸っていると、トランプは実際に出現しなかったかのように思えてくる。しかし、トランプとその支持者は一体どこから来たか。トランプの出現はこの結束に発生した深い亀裂を示唆しているのではないか。だとしたら、未来が欲しいなら、我々はお互いの違いを脇に置いてはならない。むしろ、そのまったく逆をやるべきだ。アメリカ社会全体を覆う分断と対立――リベラル・エスタブリッシュメントとトランプ支持者の間の意味のない争いではなく、真の階級対立とそれが示すあらゆるもの（人種差別、性差別、環境危機）にこそ、我々は注力しなければならない。

結束や分断の癒しの呼びかけは、偽物だ。トランプらに反対する我々（トランプの言う「国民の敵」）にとっては、トランプそれ自体がラディカルな分断を表す。そして、彼を打ち負かす唯一の正しい方法は、彼の分断が偽物であること、彼こそが「やつら」（エスタブリッシュメントの「ドロ沼」の生物）のひとりであることを立証すること、そして、この分断をもっとラディカルな本物の分断に置き換えることである。すなわち、その本物の分断とは、すべての〈解放〉の勢力の幅広い結束に逆らう、あらゆる面における「エスタブリッシュメント」との分断である。

では、茶番は悲劇として繰り返されるのだろうか。この質問に用意された答えはない。我々次第、政治的な動員（ができるか、できないか）次第である。「自分が何を求めているかに気を付けろ」。これは、バイデン次期大統領が憲法修正二十五条を発動してトランプを罷免すると脅したときに、トランプが発した警告である。[97] だが、もっと気を付けるべきだったのは、極右の支援を求めるトランプの方だろう。とはいえ、トランプの警告もなかなか的を射ているとも言える。バイデンが求めたもの、新しい結束したアメリカという彼の幅広いヴィジョンは、矛盾した、不可能な夢だからである。この夢から覚めるのが早い程、皆のためになる。トランプのような分かりやすい敵を倒すのは簡単だったが、本当の闘争はこれから始まる。

97. "Be Careful What You Wish For': Trump Threatens Biden Over 25th Amendment," CNN, https://edition.cnn.com/videos/politics/2021/01/12/trump-alamo-border-wall-texas-remarks-vpx.cnn

第二十六章
トランプの最大の背信は何か

二〇二一年一月、ヴァネッサ・バライスター判事は、アメリカから出されていたジュリアン・アサンジの引き渡し要求を却下した。この決定に対する多くの左派やリベラルの批評家のコメントを読むと、T・S・エリオットの詩劇『寺院の殺人（*Murder in the Cathedral*）』の有名な一節を思いだす。「最後の誘惑は、最大の背信である。誤った理由のために、正しいことを行うという」。劇中では、バケット大司教は自分の「正しいこと」（王に抵抗し自らを犠牲にするという決断）が、「誤った理由」（聖人の地位という栄誉を求める自らのエゴイスト的欲求）にもとづいていることを恐れる。この苦悩に対してヘーゲルなら、「我々の行動において意味があるのは、その公開される中身だ」と答えるだろう。もし私が英雄的な犠牲を払うなら、それに意味がある。その行動のための（病的かもしれない）個人的なモチベーションとは無関係だ。

しかし、アサンジの引き渡しの拒否は、別の事態である。確かに、拒否が行うべき「正しいこと」であるのは明らかだが、公的に発表された拒否の理由が「誤って」いる。バライスター判事は、アサンジの行動はジャーナリズムの範囲を超えているというアメリカ当局の主張を完全に支持したうえで、拒否は純粋に本人の精神状態による決定だと正当化した。判事は、「全体的な印象としては抑うつ状態にある、時に絶望したような、自分の未来について真におびえている人物[98]」と表現している。また、アサンジの知的レベルの高さから、自らの命を絶つことに成功するだろうとも言っている。

つまり、バライスター判事は、公正な裁きを行うための言い訳として彼の精神状態を理由にしたのだが、彼女の暗黙の、だが明瞭なメッセージはこうだ。「起訴が間違いであることは分かっているが、それを認める覚悟がまだできていない。だから、精神状態だけを指摘することにする」（加えて、裁判所はアサンジの保釈も拒否し、自殺を考えるような絶望に追い込んだ拘禁状態に今後も彼を留めることになる）。したがって、アサンジの命は（たぶん）助かったのかもしれないが、彼の〈大義〉（出版の自由、国家の犯罪を公にする権利を求める闘い）は犯罪のままだ。裁判所の人道主義が実は何を意味するかの良い例だろう。

しかし、これらはすべて周知の事実だ。我々が今すべきは、最近起きた別の二つの政治的な出来事に、エリオットのこの一節を当てはめて考えることである。

アサンジをアメリカに引き渡してはいけない決定的証拠（そんなものが必要だとして）は、二〇二一年一月初めに起きたあの二つ喜劇ではなかろうか。アサンジの引き渡しは、香港を逃げ出した反体制派を中国に送還するようなものだ。

一つ目の出来事——トランプが副大統領マイク・ペンスに投票結果を承認しないよう圧力

98. Michael Holden, “UK Judge Rejects Extraditing Assange to U.S. Over ‘Suicide Risk’,” Reuters, https://www.reuters.com/article/uk-wikileaks-assange-idUKKBN299007.

をかけた。彼がペンスに言ったのはまさに「誤った理由のために正しいこと（そう、アメリカの選挙制度は操作され腐敗していて、「ディープ・ステート」に仕組まれ管理された大掛かりなフェイクだ）をせよ」である。トランプの要求の意味を考えると面白い。ペンスは憲法に定められた形式的役割を行うだけにもかかわらず、国会で準備されていた選挙人団による承認を遅らせられる、あるいは邪魔できるとトランプは考えたわけだ。[99] 集計後、副大統領はすでに決まった結果を発表することしかできないのだが、トランプはまるでペンスが実際の決定を下しているかのように行動するよう求めた。トランプが要求したのは革命なんかではない。法律の真意をよそに条文を文字どおりに解釈し、ペンスをあくまで制度的秩序内で行動させることにより、土壇場で勝利しようとしたヤケクソな試みである。

二つ目の出来事——一月六日にトランプ支持者が議会に乱入した際、彼らも正しいことを誤った理由で行った。国民の不満を直接表すことができないように意図された（この点は、建国の父たち自身がはっきりとそう言っている）、複雑な仕組みを持つアメリカの選挙制度に抗議するという点では、彼らは正しかった。しかし、その試みはファシストのクーデターですらない。ファシストは歴史的に、権力を掌握する以前に、大きな企業と取引をする傾向があるのだが、今回の新聞の見出しは逆に、「民主主義を守るためトランプを解任せよ——財界首脳ら語る」だ。[100]

では、トランプが大企業に抵抗するよう抗議者たちを煽ったのかというと、そうでもな

99. Kevin Liptak, "Pence Faces Pressure from Trump to Thwart Electoral College Vote," CNN, January 5, 2021, https://edition.cnn.com/2021/01/05/politics/mike-pence-donald-trump-electoral-college/index.html

100. Matt Egan, "Trump Should Be Removed From Office to Preserve Democracy, Business Leaders Say," CNN, January 7, 2021, https://edition.cnn.com/2021/01/06/business/capitol-hill-violence-business-leaders/index.html.

い。かつてスティーヴ・バノンがホワイトハウスから追い出されたとき、バノンはトランプの増税計画に反対しただけでなく、富裕層の税金を40％にまで上げることをはっきり主張していた。また、公金で銀行を救済するのは「金持ちのための社会主義」だとも発言していた。そんなバノンを追い出しておきながら、普通の人々の利益を擁護していると言い張るトランプは、ちょうどオーソン・ウェルズの名作映画『市民ケーン』で、貧しい暴徒を擁護したことを金持ちの銀行家に非難された大富豪のケーンが、「自分の新聞は貧しい普通の人々を擁護する。それは、貧しい普通の人たちが自らを擁護するという本当の危険を防ぐためだ」と言ったのと似ている。

あらゆるポピュリズムと同じように、現代のポピュリズムも、直接国民に代わって発言しているふりをして、政治的代表性を信用していない。[101]「ディープ・ステート」と財界に手を縛られていると不満を言い、「この手が縛られていなければ、敵どもをバッサリと切り捨てられるんだが」と言いたげである。しかし、正式な代表制民主主義を廃止して乗っ取るのも厭わず、新しい秩序を強制しようとする（ファシズムのような）古い独裁的ポピュリズムとは違い、現代のポピュリズムは、何か新しい秩序などという一貫したヴィジョンを持っていない。このイデオロギーと政治の実際の中身は、一貫しない政策のブリコラージュなのだ。「我々の」貧困層に賄賂を使うかと思えば、富裕層の税金を下げる、移民に対する人々のヘイト感情をあおる、仕事を下請けに丸投げする堕落したエリートを非難する……。

101. 以下、記載のない引用は Yuval Kremnitzer, “The Emperor's New Nudity: The Media, the Masses, and the Unwritten Law”（原稿）より。

だから、現代のポピュリストは確立された代表制民主主義を廃止して、完全に取って代わろうなどと思っていない。「闘う相手であるリベラル秩序という「足かせ」がなければ、新右翼は実際に何か行動をしなくてはならなくなる」し、そうなると彼らの政策の空虚さが明らかになるだろう。現代のポピュリストは、自らの目標達成を永遠に延期することでしか機能しない。リベラル・エスタブリッシュメントという「ディープ・ステート」に対抗することでしか機能できないからだ。「新右翼は、少なくとも現時点で、至上の価値を確立することなどめざしていない。たとえば、国家とか、リーダーとか、国民の意思を十分に表現し、それによって代表制の廃止を許す、あるいは廃止を必要とするような至上の価値は望んでいないのだ」。

ということは、トランプの真の犠牲者は、リベラルの企業エリートや大銀行を非難するトランプのたわ言を真剣にとらえた市井の支持者たちということになる。トランプを批判するリベラルたちは、「トランプが支持者を十分に掌握していないから、支持者はトランプのために勝手に暴力に打って出ようとする」とか、「トランプもあっち側にいて暴力を煽っている」とか非難する。だが、実はトランプはあっち側にいないのだ。

一月六日の朝、ホワイトハウスに近いエリプス広場で行われていた「Save America」の集会で、「我々は議事堂に向かって歩いていこうとしている。勇敢な上院議員や下院議員に声援を送ろう。ただ、議員の一部に対しては大した声援はしない。なぜなら、弱さで我々の国は取り返せないからだ。強さを示さなくてはならない。強くなければならない」[102]。しかし、群衆がその言葉どおりに国会議事堂に近づいたとき、トランプ本人はホワイトハウスに引き返し、テレビをつけて、彼らの暴力が展開されるのを見ていた。

トランプは本当にクーデターを望んでいたのか。一点の曇りもなく、答えはノーだ。群衆が議会に突入したとき、彼は動画メッセージを出した。「君らの痛みは分かる。君らの苦しみも分かる。我々は選挙を盗まれたのだ。圧倒的な勝利だったのは、誰もが知っている。特に向こうが良く知っている。だが、君らは家に帰らなければならない。平和が必要だ。法と秩序が必要だ」と訴えた[103]。そう言いながら、相手の暴力を非難し、支持者を称賛した。「こんな人たちに付け込まれてはならない。平和が必要だ。だから家に帰ろう。我々は君らを愛している。君らは本当に特別だ！」

そして、群衆が散り始めると、議会を襲い破壊した支援者らの行動を擁護するツイートをした。「神聖な圧倒的勝利が、非常に無礼かつ悪意に満ちた形で奪われたときに起こる出来事だ」と[104]。その締めは「この日を永遠に記憶しよう」だ。そうだ、我々は永遠に記憶しなければならない。アメリカ民主主義へのポピュリストの抗議のフェイクだけでなく、アメリカ民主主義そのもののフェイクを露にした日だからだ。

アメリカの選挙で本当に意味がある選挙など、ほんのわずかだが、一九三四年のカリフォルニア州知事選挙で、民主党候補アプトン・シンクレアが負けたのは、全エスタブリッシュ

102. Justin Vallejo, "Trump 'Save America Rally' Speech Transcript from 6 January," the *Independent*, January 13, 2021, https://www.independent.co.uk/news/world/americas/us-election-2020/trump-speech-6-january-transcript-impeachment-b1786924.html
103. "Trump Praises Supporters as 'Very Special' after Mob Storms the Capitol," the *Guardian*, January 6, 2021, https://www.theguardian.com/us-news/live/2021/jan/06/georgia-election-latest-news-senate-ossoff-warnock-democrats-republicans-trump-biden

メントが前代未聞の嘘（「シンクレアが勝ったら、ハリウッドはフロリダに移転すると発表した」など）と誹謗中傷の選挙運動を組織したためだった。だが、トランプは再選されず、シンクレアの落選と真逆の結果になった。完全に落選すべきほうが落選した。

後世に残る二〇二〇年のアメリカ大統領選挙のイメージは、議会の操作によって権力を奪われた人気の大統領のために、怒り狂った不満を抱える群衆が議会を襲撃したというイメージ……どこかで聞いたことがある？　そう、これはブラジルやボリビアでこそ起こるべき事件だったのだ。支持者の群れは、議会を襲撃して大統領をその座に連れ戻す完全な権利を持っていたはずだが、残念ながら両国では、アメリカとはまったく違うゲームが行われていた。だから、一月六日にワシントンで起きたことが、せめてアメリカの猥褻さを止めたことを祈ろう。選挙の公正さを判断するために他国の選挙に監視人を送るような国なのに、今、アメリカの選挙には他国の監視人が必要だ。アメリカは、ならず者国家である。トランプが大統領になったからだけではない。今も続く（ほぼ）内戦によって、常にあった亀裂が露になっているからだ。

104. Erik Pedersen, “Donald Trump Tweets About ‘Sacred Landslide Victory’,” Deadline, January 6, 2021, https://deadline.com/2021/01/donald-trump-speech-capitol-protest-go-home-election-was-stolen-1234666061/

第二十七章
ジュリアン・アサンジ、君に捧げる

古いジョークがある。第一次世界大戦中、ドイツ軍司令部とオーストリア＝ハンガリー軍司令部間の電信のやり取りが題材である。ベルリンからウィーンへ、「前線の我が方の状況は深刻なるも、壊滅的にあらず」という電文が送られた。これに対するウィーンからの電文は、「我が方は、状況は壊滅的だが、深刻にあらず」。ウィーンからの返信は、パンデミックからアメリカ西海岸などの森林火災まで、今の我々の危機に対するありがちな反応の典型だ。破滅状態が延期されているだけなのは分かっているし、メディアは常に警告を発しているが、どうも我々には状況を極めて深刻に受け止める覚悟がない。

同じことがジュリアン・アサンジの運命にあてはまる。彼には、法律とモラルの壊滅状態がもう何年も続いている。刑務所での彼の扱いといえば、自分の子どもたちにも母親にも会えない。弁護士と定期的に連絡をとることもできない。生存そのものを脅かす心理的拷問の犠牲者である。まるで歌詞のように、キリング・ヒム・ソフトリーだ。

なのに、彼の状況を深刻に受け止め、彼の事案においては自分たちの運命も危機にあると気づいている人は極めて少ない。彼の権利を侵害する力は、地球温暖化やパンデミックへの有効な対応を邪魔している力である。パンデミックが富める者をますます富ませ、貧しい者最も激しくを直撃するのを許している力である。容赦なくパンデミックを利用して、社会空間やデジタル空間を規制し検閲する力である。我々を守ると言いながら我々自身の自由から我々を遠ざける力である。

中国が香港に課した人間の基本的な自由の制限には、誰もが抗議したくなる。だが、自らに対しても、再び目を向けるべきではないのか。一九三〇年代のマックス・ホルクハイマーの言葉、「資本主義を批判的に語ろうとしない人は、ファシズムにも沈黙を守らねばならない」を思い出さねばならない。現代版は、「アサンジへの不正義を語ろうとしない人は、香港とベラルーシの人権侵害に沈黙を守らねばならない」である。

アサンジに対する計画的で抜け目ない人格攻撃が、アサンジへの擁護が、ブラック・ライヴズ・マターやエクスティンクション・レベリオンのように運動として広がっていかない理由の一つである。アサンジの生存そのものが危機に瀕している今、彼を救える方法があるとしたら、そうした運動だけなのに。

「Here's to You」（ジョーン・バエズ作詞、エンニオ・モリコーネ作曲、邦題は「勝利の賛歌」）の歌詞が浮かぶ。

あなたたちに捧げる、ニコラとバート

いつまでもここに、私たちの心に眠る
最後の最期の瞬間は、あなたたちのもの
その苦悶は、あなたたちの勝利

当時、イタリア移民のサッコとヴァンゼッティの冤罪を訴えて、世界各地で大規模なデモが行われた。アサンジを守るには、形が違っても同じ行動が必要だ。アサンジは死ねない。なぜなら、たとえ彼が死んでも（あるいは、アメリカの刑務所で生ける屍として消えても）、その苦悶が彼の勝利であり、彼は我々みなの中に生き続けるために死ぬのだから。

その手の中にアサンジの運命を握っている者たちへ、我々皆から届けなければならないメッセージがある。「一人を殺せば伝説が生まれ、その伝説は数万人を結集させ続ける」。

第二十八章
バイデン、プーチンの魂について語る

私自身、プーチンにもトランプにもまったく感心しないのだが、最近のジョージ・ステファノポロスとのインタビューでのジョー・バイデンの発言には、思わずトランプ時代をあれこれ懐かしく思ってしまった。

「プーチンは殺人者だと思うか」と問われたバイデンは、「そう思う」と答えた。[105] さらに、オバマ政権で副大統領を務めていた二〇一一年、プーチンに対して「魂がない」と個人的に言ったという記事の内容を認めた。「私もざっくばらんな感じだった。彼のオフィスに彼以外、私しかいなかったからね」と言い(何の話だ? プーチンに殺されていたかも、とか?)、「こんな具合だった。当時、ブッシュ大統領(息子の方)が「プーチンの目を見たら、魂が見えた」と言ったという話があって、私はプーチンに「あなたの目を見ているが、あなたには魂があるとは思えない」と言ったんだ。すると彼は私を見つめ返して、「私たちはお互いを理解している」と言ったんだ」と語った(一体全体、これはどんな意味なんだ? 自分には魂がないが、バイデンにはあるとプーチンが認めたということか。それとも、お互いを心底軽蔑するということか)。

この話が公になった直後のプーチンの返しがうまかった。バイデンの健康を願った上で、実

105. Dan Mangan, "Biden Believes Putin Is a Killer, Vows Russian Leader 'Will Pay a Price' for Trying to Help Trump Win the Election," CNBC, March 17, 2021, https://www.cnbc.com/2021/03/17/biden-says-putin-is-a-killer-will-pay-for-trying-to-help-trump-win-election.html

存的かつ倫理的な大問題についてズームで公開討論をやろうと誘ったのである。

バイデンの強い言葉は、トランプの言葉とは対照的である。二〇一七年、フォックスニュースの司会者ビル・オライリーがプーチンを「殺人者」と呼んだとき、トランプは、アメリカのやり口もロシア大統領と同じぐらいに酷いことを示唆した。「殺人者はたくさんいる。アメリカにもたくさんいる。この国に罪がないとでも思っているのか」と言ったのだ。[106] ここでのトランプは、率直なリアリズムを表現している。逆にバイデンのプーチンに魂がないという発言は、単純に間違いである。怪物のような殺人者は「魂」、つまり豊かな内面的生活を持っているからだ。このことは、殺人者が恐ろしい自分の行動をなんとか正当化しようと作り話をする様に現れている。あらゆる大きな政治犯罪の背後にも、必ず詩や宗教的な虚構があるものだ。

具体的に言えば、詩のない民族浄化などありえない。なぜか。我々は「ポスト・イデオロギー」を自認する時代を生きているからだ。民衆の大きな目的は、すでに人々を集団暴力に動員する力を失い、より大きな神聖な〈大義〉が必要とされている。その〈大義〉が殺人に対する個人の小さな迷いを些細なことに変えるからだ。宗教や民族的な帰属意識は、この役割にうってつけである。もちろん、快楽のために大量殺人をやる病的な無神論者の例もあるが、稀有な例外である。大多数の人には、他者の苦痛に対する基本的な感受性を麻痺させてやる必要がある。そのために神聖な〈大義〉が必要なのである。宗教的イデオロギストは、

106. Martin Pengelly, "Donald Trump Repeats Respect for 'Killer' Putin in Fox Super Bowl Interview," the *Guardian*, February 6, 2017, https://www.theguardian.com/us-news/2017/feb/05/donald-trump-repeats-his-respect-for-killer-vladimir-putin

（真偽はともかく）「宗教は悪人にも良い行いをさせる」と言う。だが、今、支持すべきは、「宗教があってもなくても、善人は善い行いができるし、悪人は悪い行いができる。だが、宗教だけが善人に悪い行いをさせることができる」というスティーヴ・ウェインバーグの言葉だろう。

だから、私がプーチンを支持しないと言っても、彼に魂がないからではなく、彼の魂の中にあるものが理由である。二〇一九年のフィナンシャルタイムス紙とのインタビューは、彼が心の底から話す様子の例である。ここで、プーチンは「国家に対する反逆は最も重大な犯罪であって、反逆者は罰せられなければならない」[107]と言って、国を裏切るスパイに対して全く容赦しないことを宣言した。この発言から、プーチンがスノーデンやアサンジに対して、個人的な共感はまったく持っていないことが明らかである。もし彼らを助けるとすれば敵を悩ませるためだけ。ロシア版スノーデンやアサンジが現れてもその運命は想像に難くない。また、別のインタビューでも、プーチンは、「スノーデンは反逆者ではないが、なぜ自分の国にあのようなことができるのか理解できない」と語っている。ここにプーチンの魂と、彼の思考の在り方が垣間見える。

政敵に魂があることを否定するのは、バイデンのその他の失言にも見られる俗悪への回帰に他ならない。バイデンは、たとえば二〇〇七年にバラク・オバマの応援演説の中で、「つまり、能弁で、聡明で、清潔感があり、見栄えも良い、物語に出てくるような男、初の主流

107. Lionel Barber, Henry Foy, and Alex Barker, "Vladimir Putin Says Liberalism Has Become Obsolete," *Financial Times*, June 28, 2019, https://www.ft.com/content/670039ec-98f3-11e9-9573-ee5cbb98ed36

派のアフリカ系アメリカ人です！」と言っている。[108] こうした事例が示すとおり、もしバイデン政権がトランプ政権よりましだとしたら、それは、バイデンの魂のせいではない。バイデンが自分の魂を当てにしないほど、我々皆にとってはありがたい。

108. "A Dubious Compliment – Top 10 Joe Biden Gaffes," TIME, http://content.time.com/time/specials/packages/article/0,28804,1895156_1894977_1644536,00.html

第二十九章

階級差別に抵抗する階級闘争

ジョー・バイデンの大統領就任式に、座っているだけで話題を独占した孤独な姿があった。二党間の結束という祭典を邪魔する不和要素として突出する人物、バーニー・サンダース。ナオミ・クラインは、彼のミトンよりも重要なのは、彼の姿勢だと指摘した。

前かがみで、腕組みして、人だかりから物理的に距離を置く。政党から外された人ではなく、加わることに興味のない人の印象である。党派を超えた結束を謳い上げるショーと化したこのイベントで、バーニーの手編みのミトンは、エリートたちが作ったその合意の中で勘案されたこともない人々すべての思いを受けて、そこにあった。[109]

哲学者なら誰でも、イエナ市街を進む馬上のナポレオンに、ヘーゲルがどれほど強い印象を受けたかを知っている。ヘーゲルにとっては、馬に乗った〈世界精神〉（歴史の支配的な流れ）を見ているようだったに違いない。バイデンの就任式でバーニーが注目をさらったという事実、そこに座っているだけの彼の画像がたちまちアイコンとなったという事実は、我々

109. Naomi Klein, “The Meaning of the Mittens: Five Possibilities,” the *Intercept*, January 21, 2021, https://theintercept.com/2021/01/21/inauguration-bernie-sanders-mittens/

の時代の真の〈世界精神〉が彼の孤独な姿、就任式が演出した偽りの正常化に対する懐疑を具体化した彼の姿にあったことを示している。

バーニーのイメージに対する称賛が示すように、我々の大義にはまだ望みがある。ラディカルな変化が必要なことに人々は気づいているのだ。バイデンに象徴されるリベラル・エスタブリッシュメントと、人気を集めるバーニー・サンダースやアレクサンドリア・オカシオ＝コルテスに代表される民主社会主義との間に引かれた境界線が、はっきりと表れていた。しかし、ここ数週間、この明瞭な視界をぼやけさせる事態が起きている。アレクサンドリア・オカシオ＝コルテス（以下、ＡＯＣ）が、インタビューその他の公の場で、民主社会主義左派による攻撃からバイデンを擁護しているのである。三月十九日に発行されたアメリカ民主社会主義の雑誌「デモクラティック・レフト」のインタビューで、彼女は「民主党への惜しみない称賛と、様々な社会主義への批判を結びつけ」ている。[110] エリック・ロンドンの記事によると、このインタビューの中で、彼女は、

民主党は完全に労働階級の党に生まれ変わったと表現している。バイデン政権と現在の民主党は「もっとずっと進歩的な方向に完全な改革をなしつつある」とし、左派からの圧力によって、凝り固まった民主党指導部の中にも「ほとんどラディカルな変化」が余儀なくされているとも語った。（…）民主党エスタブリッシュメントの完璧な仕事を

110. Eric London, "Alexandria Ocasio-Cortez Denounces Socialists and Praises Biden Administration, Democratic Party," World Socialist Web Site, March 25, 2021, https://www.wsws.org/en/articles/2021/03/26/aoc-m26.htm
111. 上記 London "Alexandria Ocasio-Cortez Denounces Socialists" の引用。
112. 同上
113. 同上

邪魔しているのは、唯一、左翼の反対だけだという。「民主主義エスタブリッシュメント」を批判し、アウトサイダーを気取って政治キャリアを成したこの政治家は、今、エスタブリッシュメントの最強の擁護者、かつ、外部からの批判にとっては非常に手ごわい相手に変容している。

同様に、AOCは、バイデンに対する左派の批判を、「実に特権階級らしい批判」と撥ねつけ[111]、古くて非常に疑わしい「善意の批判」と「悪意の批判」の区別を持ち出して論じている。「悪意の批判は、我々が迅速に作り上げてきたものをすべて台無しにしかねない。我々には、ムーヴメントの中に混じった悪意ある者をなだめている時間も余裕もない」と言う（ついでだが、若いころにもこの区別があったのを思い出した。政権に就いていた共産主義者は、「破壊的」な反社会主義者の批判と、「建設的な」批判とをしょっちゅう比較していた）。「悪意ある者をなだめている」時間がないというが、これは婉曲的（でもない）排斥の呼びかけなのか。

AOCはさらに踏み込んで、バイデンに対する左派の批評を、大統領を批判することとは抑圧された貧しい人々への蔑視にあたると糾弾した[112]。また、「階級本質主義（class essentialism）」を批判して「アイデンティティ政治（identity politics）」に触れたり、「左派の批判は右派に利する」という、リベラル左派の古いインチキをよみがえらせたりもしている。いわく、「何も変わっていないと言うのは、現に国外退去から保護されている人々を「誰で

114. “Police Officers Show Up at Twitter User’s Home for Criticising Congresswoman AOC on Social Media, Her Spokesperson Denies Involvement,” *OpIndia*, April 9, 2021, https://www.opindia.com/2021/04/usa-police-visit-twitter-user-for-criticising-congresswoman-aoc/
115. Danielle Kurtzleben, “Ocasio-Cortez Sees Green New Deal Progress in Biden Plan, but ‘It’s Not Enough,’ ” NPR, April 2, 2021, https://www.npr.org/2021/04/02/983398361/green-new-deal-leaders-see-biden-climate-plans-as-a-victory-kind-of

もない」と呼んでいることになる。我々のムーヴメントでは、それは許されない」[113]（おそらく、AOCと民主社会主義者の間の確執は、もう警察が出動する事態になっても不思議ではない。報道によると、ツイッターでAOCを批判した人物の家に警官が来たという）[114]。

だが、AOCの戦略には二面性がある。彼女は同時に、グリーン・ニューディールに十分取り組んでいない[115]、インフラの更新に十分投資していない[116]とバイデン政権を批判し、バイデンの「野蛮な」国境管理も酷評しているからだ[117]。このように、彼女なりの一貫した戦略とは、急進左派にバイデンへの信頼を求めつつ、同時に、「善意の批判」を行って、政策を推し進めるよう求める戦略である。

AOCのこの論法で私が問題だと思うのは、急進左派というのは「階級本質主義」の方向に走りすぎ、バイデン政権が進めてきた反人種差別やフェミニズムの前進は無視するものだ、というその暗黙の前提である。しかし、民主党は本当に、この二つの闘争の重要性を急進左派に対して訴えたりしているか。また、ラディカルなフェミニストやBLM支持者の中にも、民主党エスタブリッシュメントを支持している者はいるのではないか[118]。BLMの一部が大きなムーヴメントから離脱した理由は、まさに、後者が民主党を支持するからであり、あるいは彼ら自身が言うように、「民主党との組むのは、自分たちの敵と組むこと」だからである[119]。要は、民主党エスタブリッシュメントと急進左派の分裂は、「階級本質主義」の問題とはまったく関係ない。

116. Ben Winck, "AOC Says Biden's Infrastructure Plan Is Way Too Small—She Wants a $10 Trillion Package," *Business Insider*, April 1, 2021, https://www.businessinsider.com/aoc-biden-infrastructure-spending-plan-trillions-housing-health-care-recovery-2021-4
117. Carl Campanile, "AOC Finally Slams Biden's 'Barbaric' Border Conditions, Says Families Deserve Reparations," *New York Post*, March 31, 2021, https://nypost.com/2021/03/31/aoc-slams-barbaric-us-border-conditions-under-biden/

ここで指摘しておくべき一つ目のポイント。古い毛沢東の対比を使って言えば、AOCと民主党左派の確執は、国民とその敵の間の〈矛盾〉ではなく国民内部の〈矛盾（contradiction）〉であり、議論によって解決されるべきものということである。すなわち、どちらの側も相手を、敵のため活動する手先と見てはいけないということだ。ただ、基本的な疑問が生じる。この確執において誰が正しいのか。あるいは、少なくとも、どちらがマシなのか。これには思わず、スターリンの古い決まり文句「どっちも、より酷い」と答えたくなる。では、どう酷いのか。

多少抽象的な理論的意味では、急進左派のスタンスが真実である。バイデンは長期的な解決策などではなく、究極の問題はグローバル資本主義そのものである。しかし、だからと言って、「筋の通った日和見主義」とでも呼べるような、あらゆる穏健な進歩的対策を不十分だと批判し、真のムーブメント（もちろん、決して起きない）を待つなどという心地よいスタンスを、正当化するものでは決してない。

バイデンは単に「人の顔をしたトランプ」と片付けられないという点で、AOCは正しい（すでに本書でも議論した）。バイデン政権が実施または提案している政策の多くは、パンデミックとの闘いや、経済の再生、環境に関する公約の実行のために支出する数兆ドルも含め、支持されるべきである。もうひとつ、バイデン政権の動きで重大に考えなければならないのは、財務長官ジャネット・イエレンが提唱している税制改革である。トマ・ピケティが提

118. ついでだが、黒人を射殺する白人警官（今日の国家暴力の典型的なイメージ）に対するBLMの高揚は、見た目ほど無垢なものではない。そうした直接暴力のイメージが持つ陶酔させる力は、もっと危険で拡大した人種差別暴力を分かりにくくさせてしまうからだ。それは、リベラル・エスタブリッシュメントに属する者が日々行っている、ほとんど見えない暴力である（この洞察は、アンジー・スパークスがヒントをくれた）。

案する段階的手段を経るもので、アメリカの法人税を21%から28%に引き上げ、国際社会に対しても同等レベルまで法人税を上げるようプレッシャーをかけるという政策である。これは、重大にとらえるべき「階級本質主義」（経済正義に向かう力）である。四月二十八日のバイデンの施政方針演説の中で最も重要な言葉は、「アメリカ国民の皆さん、（…）経済のトリクルダウンは一度も起きませんでした」の部分だというクリス・チリッツァの意見[120]に賛成だ。

しかし、敵対する立場のそれぞれ（民主党アジェンダの承認、空虚な左派急進主義）が間違っているとしたら、その二つを組み合わせても――バイデンの政策はうまくいかないと分かっていても、作戦としてバイデンを支援する――ひねくれた小細工にしかならないのではないか。この作戦だと、公式には制度内にとどまるが、実際は独自のもっとラディカルで秘した目的をめざすことになる。しかし、そんな立場の真実は、普通、正反対である。密かにラディカルな目的をめざすと思っていても、現実では完璧に制度に収まってしまう。あるいは、デュアン・ルセールを引用すれば、「意味のある存在であり続けよう、民主党内で影響の範囲を維持しようとするこの現実的な試みこそ、我々が疑問視するべき」[121]なのである。

しかし、実際、私は、バイデンの政策を一部支持する戦略にひねくれた小細工があるとは思わないし、必ずしも制度の中に捉われたままという意味になるとも思わない。バイデンの政策の一部は完全に「誠実な」意味で支持できる。ただし、第一段階にしか過ぎず、必ずその後の段階が続く必要があるという前提つきである。そして、追加のラディカルな段階がな

119. "'To Ally with the Democratic Party Is to Ally against Ourselves': BLM Inland Empire Breaks with BLM Global Network," *Left Voice*, February 4, 2021, https://www.leftvoice.org/blm-inland-empire-breaks-with-black-lives-matter-global-network

ければ、既存のグローバルシステムはこのような政策には耐え切れないからこそそうなのである。たとえば、パンデミックとの闘いに数兆ドルを支出することで財政危機になったら、財政のコントロールにもっとラディカルな政策が必要になる。だから、我々がしなければならないのは、これらの政策にちゃんと固執し、政策の完全な実現を求めることである。

では、なぜ、民主党内の確執が「両方とも、より酷い」のか。問題の核心にあるのが「階級本質主義」への非難である。私は、その非難は的外れだと思う。確かに、「労働者闘争が唯一の本物の闘争である」という古いマルクス主義のクリシェは、捨てるべきである。このクリシェに従えば、その他の闘争（環境、非植民地化と民族解放、フェミニスト、反人種差別、など）については、「大きな闘争」に勝利したら多少とも自動的に解決すると期待して待たなければならなくなるからだ。だが、それ以上に、「階級本質主義」を完全に受け入れるべきだと私は訴える。ただし、〈本質（essence）〉という語を厳密にヘーゲル的意味で使うという条件付きだが。

毛沢東はヘーゲルの弁償法を本当に理解していたわけではない（否定の否定に対する珍妙な反論がその例）が、毛沢東のマルクス主義哲学への主な貢献（〈矛盾〉の観念へのこだわり）は、ヘーゲルの〈本質〉の観念のレベルにある。毛沢東の偉大な『矛盾論』の主たる議論は、「一つのプロセスにある主要矛盾と副次矛盾、一つの矛盾にある主要側面と副次側面」を区別するもので、熟読の価値がある。また、毛沢東の「教条的マルクス主義者」への非難は、「矛

120. Chris Cillizza, “The Single Most Important Sentence in Joe Biden’s Big Speech,” CNN, April 29, 2021, https://edition.cnn.com/2021/04/29/politics/biden-speech-congress-sotu/index.html. ここで注釈をつけずにはおられない。これらの進歩的な政策は、トランプの政治とパンデミックへの対応として提案されたものである。つまり、それらがなければ起こりえなかった政策だ。だから、トランプ政権とパンデミックがより進歩的な政治への道を開くだろうという私の主張は正しかったわけである。

盾の普遍性は、矛盾の特異性に存在するということを彼らは理解していない」というものだ。毛沢東はこう書いている。

たとえば、資本主義社会では、矛盾する二つの勢力、プロレタリアートとブルジョアジーが、主な矛盾を形成している。その他の矛盾、たとえば旧封建階級とブルジョアジーの間の矛盾、プロレタリアートと小農下層階級の間の矛盾、小農下層階級とブルジョアジーの間の矛盾、プロレタリアートと小農下層階級の間の矛盾、非独占資本家と独占資本家の間の矛盾、ブルジョア民主主義とブルジョアファシズムの間の矛盾、資本主義国家の間の矛盾、帝国主義と植民地の間の矛盾などは、すべて、この主要矛盾によって決定されるか、影響を受けるのである。帝国主義が武力侵略の戦争を始めたら、侵略される国の様々な階級（一部の反逆者を除き）は、一時的に、帝国主義に対する国としての戦争に団結することができる。そのようなとき、帝国主義と被侵略国の間の矛盾が主要矛盾となり、それ以外の国内の様々な階級にあるすべての矛盾（それまで主要矛盾であった封建制度と国民大衆の間の矛盾を含む）は、一時的に、二次的・副次的な位置に格下げされるのである。[122]

毛沢東の論点はこうなる。主要（普遍的）矛盾は、特定の状況で優越に扱われるべき矛盾とは重複しない。普遍的な次元は文字通り、この特定の矛盾の中にある。それぞれの具体的

121. Douane Rousselle（私信）
122. Mao Tse-Tung, *On Practice and Contradiction*,（London: Verso Books, 2010), p. 87.

な状況で、異なる「特定の」矛盾が優越な矛盾となる。主要矛盾の解決のための戦いに勝利するため、特定の矛盾が優越な矛盾として扱われ、その他すべての闘争は格下げされるべきだという厳密な意味で、これが起きる。

日本占領下の中国では、共産主義者が階級闘争に勝利することを願う限り、日本人に対する愛国的な団結の方が優越であった。この状況においては、階級闘争への直接の注力は階級闘争そのものに反していた。おそらく、そこに「教条的日和見主義」の主な特徴がある。間違ったタイミングで、主要矛盾の重要性に固執することだからだ。現在の多重的な戦略に、この観念がどう応用できるかは分かりやすい。今日、本当の「階級本質主義」は、階級闘争を固定された「本質」として扱うことではなく、複数の戦略のダイナミックな相互作用を制御する過剰決定された原則として扱うことである。たとえば、現在、アメリカでは黒人の抑圧や搾取を考慮せずに階級闘争の話はできない。人種の問題と離れて「純粋な」階級闘争に集中することは、結局は階級抑圧となる。

マウリツィオ・ラッツァラートが、最近、「階級本質主義」への反論[123]として、イタリアのフェミニスト、カルラ・ロンツィのスローガン「ヘーゲルに唾を吐こう」に言及している。ロンツィの同名の書籍（一九七〇年[124]）は、ヘーゲルの弁証法と承認の理論に見られる家父長制的な特徴を強調し、このヘーゲルへの獰猛な批判をマルクス主義にまで拡大している。生産と階層的な社会組織と権力に対する注目――その基本を代表する政党という形を取った政治

123. Maurizio Lazzarato, *Capital Hates Everyone: Fascism Or Revolution*, trans. Robert Hurley（South Pasadena, CA: Semiotext(e), 2021）を参照
124. http://blogue.nt2.uqam.ca/hit/files/2012/12/Lets-Spit-on-Hegel-Carla-Lonzi.pdf で閲覧可

の位置づけ――と並行して、ロンツィは、マルクス主義の歴史観を複数の「段階」を通じた弁証法的進歩であるとして批判している。マルクス主義の歴史観では、黒人と女性は低い「段階」で「ブロック」されてしまい、その後、女性が自意識の自由を手に入れられるのは、男性の生産性至上主義的論理に再び加わる場合に限られるとしている。[125] ロンツィは、このヴィジョン全体を正統な進化論と相容れないとして拒否し、「進化プロセスは急激な変化であり、歴史がこれまで包含していなかった何らかの発明または発見に対して開かれた、歴史秩序の非弁証法的決裂である」としている。[126]

これに対し、ラッツァラートの論点は、単にマルクス主義の視点は否定されるべきということではなく、労働者の闘争とフェミニストの闘争は異なる論理に従うということにある。「政党内の力関係の集中と垂直性」というフェミニストの批判については、ラッツァラートは、自律的な政治課題となるためには、女性たちはラディカルな民主主義を考案しなければならないと解釈する。[127] 新しい水平的でヒエラルキー的でない関係が、女性に特有の集団的意識の基礎になる。「代表性と委任という概念や実践はない。なぜなら、問題は力の奪取でも管理でもないからである」。[128] 女性は「労働を通じた解放と権力闘争を通じた解放の約束」を捨て去るべきだという。「そのような解放は、家父長制的な文化の価値（そして労働者の運動の価値）と見なされる。フェミニストの運動は、権力へのいかなる参加も要求しない。正反対に、権力とその奪取の概念の議論に参入することを要求する」。[129]

125. Lazzarato, *Capital Hates Everyone*, p. 221.
126. 同上 p. 222.
127. 同上 p. 218
128. 同上 p. 218

ラッツァラートは、フェミニストや反植民地主義の本質主義の罠に気づいているのだ。後者の場合、「敵はヨーロッパそのものになってしまい、資本主義は人種の分断の裏で見えなくなる。この曖昧さゆえに、植民地独立後の思考の中で不幸な繰り返しが起きることになる。なぜなら、革命が完全に遠のくからである」[130]。だから、階級本質主義に、単にフェミニストの本質主義（そこでは、女性の抑圧があらゆる抑圧の基本形）や、反植民地主義の本質主義（その他すべての問題の鍵となる植民地支配と搾取）が取って代わればよいというものではない。むしろ、ラッツァラートは、減じることのできない膨大な解放のための闘争とそれらの間の「共鳴」を主張する。

ここで、『来るべき蜂起（*The Coming Insurrection*）』の匿名の著者を引用する。「革命運動は、汚染によって広がるのではない。共鳴によって広がる。こちらで構成されたものが、あちらで構成されたものの発した衝撃波に共鳴する」[131]。

この「共鳴」は、フェミニストの闘争と労働者の闘争との間で、どのように作用するのだろうか。労働者の闘争は、中央集権主義者と生産性至上主義者のパラダイムの中にすっかり捉われているのか。それとも、分権的なフェミニズムの形が、労働闘争の中で共鳴できる可能性はあるのか。そして、現代的なフェミニズムは、本当に反植民地主義の前近代的な伝統の重視と協調し、現代的な組織と生産に対抗する共同戦線を形成できるのだろうか。むしろ、現代的なフェミニズムは前近代的なパラダイムと無関係なだけでなく、内在的に対立的

129. 同上 p. 222
130. 同上 p. 221
131. The Invisible Committee, *The Coming Insurrection*, (South Pasadena, CA: Semiotext(e), 2009), p. 12

なのではないか。しかし、さらに根本的な疑問は、階級対立は、本当に一連の対立の中の一つに過ぎないのか、である。

ドイツに進歩的なアイデンティティ主義者とマルクス主義者の議論をネタにした、気の利いたジョークがある。アイデンティティ主義者が「ジェンダー」と言うと、マルクス主義者が「階級」と返す。アイデンティティ主義者が今度は「ジェンダー、人種」と言うと、マルクス主義者は「階級、階級」と返す。アイデンティティ主義者が「ジェンダー、人種、階級」と言うと、マルクス主義者は「階級、階級、階級」と返す……。このジョークはマルクス主義者をからかうためのものだが、実は、このマルクス主義者は正しい。彼の単語の反復にある真実は、階級（闘争）は社会的アイデンティティの全体性を過剰決定するということである。[132]

アイデンティティ主義者が「エスニック的アイデンティティ」と言ったら、マルクス主義者はそのアイデンティティが階級闘争の観点からどのように考察されるのか、つまり、社会の全体性にどのように包含され排除されるのか、どんな障害または特権に遭遇するのか、どんな職業や教育の機会がそのアイデンティティに対して開かれるのか、閉ざされるのかなどを分析する。同様に、女性への抑圧についてであれば、マルクス主義者の分析は、国内の資本主義の再生産が、どのように女性の無償労働に依存しているのか、社会的・経済的再生産における女性の立場によって、女性の自由と自律はどの程度維持あるいは阻害されるのか、

132. このジョークと全体の議論の展開は、アルノ・フランクとの会話による。

中産階級の価値観に偏った一部のフェミニストの闘争は、本当にフェミニストといえるのか、となる。

このような階級闘争の特別な役割は、労働者階級がアイデンティティを保護されるべき他の社会グループの中の一つに降格したときに、失われてしまう。ドイツをはじめ一部の国では、最近、「階級差別(classism)」と呼ばれる曖昧な概念の出現がみられるが、本質的には、アイデンティティ政治の階級ヴァージョンである。労働者は社会の再生産において重要な役割を担っているという意識を主張し、自分の社会文化的習慣と自尊心を守り高めるように教えられる。そして、労働者の運動は、特定の民族や性的指向と同じように、アイデンティティの鎖の中の一要素に成り下がる。そのような「労働者の問題」の「解決」は、実はファシズムやポピュリズムの特徴である。彼らは労働者に敬意を与え、労働者がしばしば搾取されることを認め、既存のシステムの座標の中での地位の向上を(多くは切実に)求めたりもする。トランプが、銀行や不公平な中国との競争からアメリカの労働者を保護すると明言したのも、その例である。

映画の分野でそんな「階級差別」の最新の例になるのが、『ノマドランド(クロエ・ジャオ監督、二〇二〇年)』だろう。定住する家を持たず、トレーラーハウスに寝泊まりし、一時雇いを転々として各地を動き回る現代の「非定住プロレタリア」労働者の日々の暮らしを描いている。自発的な善意やお互いの連帯感に溢れた、ちゃんとした人々で、ちょっとした習慣を大切にしながら自分の世界に暮らし、ささやかな幸せを感じている（アマゾンの配送センターでの臨時の仕事ですら、結構、順調だったりする）。それは覇権主義的なイデオロギーにとって理想の労働者の姿である。この映画が昨年のアカデミー賞でオスカー賞を三つも獲ったのは不思議ではない。表現されている暮らしはかなり粗末だが、労働者たちのライフスタイルの細部が魅力的で、思わず映画を楽しんでしまう。根底にあるメッセージは、非定住プロレタリアであることを楽しもう！である。

真正の労働運動を定義することは、そんなアイデンティティの鎖の一要素になることへの拒否にほかならない。私はインドで、カースト最下層「不可触民」の最貧困の人々、いわゆる乾式トイレ清掃人らの代表に会ったことがある。彼らの取り組みの前提として、何が望みかを尋ねたところ、即座に答えが返ってきた。「自分たちでいたくない。今の自分たちはいらない」と。ヘーゲルとマルクスが「対立規定（oppositional determination）」と呼んだものの典型例である。社会領域全体を横断する普遍的な階級対立が、労働者階級内の多数のうちの一つとしての自らに遭遇している。この労働者らは、ジャック・ランシエールを引用すれば、社会的身体の「part of no part」、すなわち、社会的身体の中に適切な位置をもたない、具現化された〈対立〉そのものである。

では、新型コロナウイルスの新規感染者数が国内最多を記録し続ける二〇二一年五月のインドでは、階級闘争は何を意味するのか。「我々は人間性に対する犯罪を目撃している」というアルンダティ・ロイの主張は正しい。[133] しかし、ここから学ぶべきことは、人道主義的な教訓――政治的な闘争は忘れて、力を合わせて健康のカタストロフィに立ち向かいましょう――ではない。全力で健康のカタストロフィに立ち向かうためには、階級闘争の多数の側面を、グローバルもローカルも含めて、議論しなければならないからだ。すでに遅すぎるが、今になってようやく、先進国にインドへの支援を求める声が聞こえ始めている。

国際的な連帯は、しばしば、ありがちな「夫」の行動と似ている。妻が台所仕事を始めるまで待って、それがほとんど終わるのを確認してから、「手伝おうか」と言う。インドは医薬品の輸出で「世界の薬局」と呼ばれていたが、今こそ支援が必要だ。インドのパンデミックを収束させるために、火急かつ完全な「共産主義的」動員をすべきなのに、先進欧米諸国はコロナ国粋主義に凝り固まっている。

もうひとつ、明らかなインド国内の原因も認識しておく必要がある。一月、インドは「コロナウイルスを効果的に制御することで、重大な悲劇から世界を、人類全体を、助けてきた」と、モディ首相は自慢した。[134] しかし、彼の国家主義的政策は、感染の次の波が来る危険性の警告を犯罪的に無視しただけでなく、反イスラム攻撃を続け（大規模な選挙集会を含め）、その結果インドは、パンデミックとの闘いにおいて、ヒンドゥーとイスラムの連帯を盛り上げる貴重な機会を逃してしまった。

では、話を逆にしても同じことが言えることになるのだろうか。人種や性に関する緊張

133. Arundhati Roy, "'We Are Witnessing a Crime Against Humanity': Arundhati Roy On India's Covid Catastrophe," the *Guardian*, April 28, 2021, https://www.theguardian.com/news/2021/apr/28/crime-against-humanity-arundhati-roy-india-covid-catastrophe
134. Julia Hollingsworth, "Prime Minister Narendra Modi Could Have Prevented India's Devastating Covid-19 Crisis, Critics Say. He Didn't," CNN, May 1, 2020, https://edition.cnn.com/2021/04/30/india/covid-second-wave-narendra-modi-intl-hnk-dst/index.html

もまた階級対立を横断しているのではないのか、と。否。我々はこの解法を拒否すべきである。その紛れもない理由は、階級対立とその他の対立の間には形式的な違いがあることだ。たとえば、性別と性的アイデンティティの間の関係にある対立の場合、解放への闘争はそのアイデンティティの一部の消滅を目的とはせず、非対立的な共存のための条件を作り出すことをめざす。そして、同じことが、民族的、文化的、宗教的アイデンティティをめぐる緊張にも言える。ゴールは、平和的な共存、相互の敬意と承認である。だが、階級闘争はそんな風には機能しない。階級闘争が階級の相互の承認や敬意をめざすのは、ファシストまたはコーポラティズム的ヴァージョンにおいてのみである。階級闘争は「純粋な」対立なのである。抑圧や搾取をされる側のゴールは、階級そのものを消滅させることであり、和解ではない。[135]だから、他の闘争がその内部で「共鳴」するのとは異なる形で、階級闘争は他の闘争と「共鳴」する。すなわち、階級闘争は他の闘争に、和解不可能な対立の要素を取り込ませるのである。

だから、AOCとラディカル民主社会主義者の間の確執においては、双方が相手に対しては正しくとも、どちらも間違っているのである。両者に共通するのは、日和見主義の危険である。一方には実利的な日和見主義（覇権主義的な領域に捉われる危険、「ラディカルな」補完としてのみ機能する危険）があり、もう一方には主義にもとづく日和見主義の危険（あらゆる関与を妥協だと拒否し、そうすることで安全な距離から現実を批判するという危険）がある。どちらの側も見

135. ここで指摘しておくべき、さらに二つの問題がある。性的対立（sexual antagonism）の問題と権力の問題である。私の見解では、性的対立はセクシャリティで構成される。言い換えれば、非対立的な性的関係というのはない。また、権力と支配の関係は階級区別に先んじて存在し、経済的搾取の影響としては説明され得ない。家父長制も社会支配ももっと早く、新石器時代の始まりと共に出現した。マルクスはこの断裂の重要性を見落とした。

落としているのが、理論と実践の適切な弁証法的統一である。理論は特定の対策に根拠を与えるだけでなく、不透明な状況においては、「盲目的に」介入することを正当化する。そして、自分たちの介入によって予測不可能な形で、状況が変わる可能性があることに気づかせてくれる。

何十年も前にマックス・ホルクハイマーが言ったように、真のラディカル左派が掲げるべきモットーは、「理論においては悲観主義、実践においては楽観主義」である。

第三十章

「死ぬまで生きねば」

パンデミック下の〈生〉について、ラムシュタインから知るべきこと

新型コロナのパンデミックのおかげで、日々の生活の不確実性や、死の必然性、生物的限界に気づくことができた、とメディアが盛んに喧伝する。つまるところ、自然を支配するという夢は諦めて、自然の中の謙虚な地位を受け入れましょうということだ。ウイルスごときに自尊心を失われ、ほぼ不能にまで貶められる、そんな冷酷な教訓が他にあるだろうか。ウイルスなんて、生物学者によっては生命体とすら認めていないような、原始的な自己再生産の仕組みでしかないのに。謙虚という新しい倫理と世界的な連帯が熱心に呼びかけられるのも、当然かもしれない……。だがしかし、それは本当にパンデミックの教訓なのか。パンデミックの闇で生きることとの問題が、正反対だったらどうだ? 問題は死ではなく〈生〉、だらだら続く奇妙な生活、平和に生きることも、さっさと死ぬことも許されないことだったらどうだろう?

このような窮地に置かれて、我々は〈生〉に対してどんな態度を採るべきなのか、おそらく、ラムシュタインの「ダライ・ラマ」はその正しい答えを示している。明示されてはいな

いが、ゲーテの『魔王』をベースにした曲である。ゲーテの詩は、馬上の父に抱かれた息子に風が催眠をかけ、やがてその息子は死ぬというあらすじ。一方、曲中の息子は父と飛行機に乗っていて、詩と同じく神秘的な霊が乗客らを脅かし、霊は息子を「こっちへおいで」と「誘う」（だが、息子にしか霊の声は聞こえない）。ゲーテの詩の中では、恐れた父親が息子を強く抱き助けを求めて馬を駆るのだが、結局息子が死んでいることに気づく。ラムシュタインの曲では、息子の死の原因は父親本人である。

これとダライ・ラマは、一体どんな関係があるのだろうか。曲はダライ・ラマ十四世の飛行機恐怖症を揶揄しているのだが、その歌詞は、仏教の教義の核心との密接な関係を示している。ダライ・ラマの飛行機への恐怖は、意外にも神の存在を反映している。「空に人の居場所はない。だから、天の神は風に乗った神の息子らを呼ぶ」。そして、その子を殺そうと強い乱気流を起こすのだが、飛行機を墜落させるだけでなく、直接、子どもの魂に取りつくことによって、子どもを呼び寄せようとする。「聖歌が雲から滴り落ち、小さな耳の中へと滑り込む。こっちへおいで。こっちにいなさい。良くしてあげる。私たちは君の兄弟だ」。悪魔の声は野蛮な叫び声ではなく、柔らかな愛情あふれるささやき声である。

この不明瞭さは極めて重要である。外部からのむき出しの脅威は、子どもだけに聞こえる誘惑的な声のコーラスによって倍加される。子どもはその声に身をゆだねようという誘惑と闘うが、父親は息子を守ろうときつく抱きしめて、息子の息が詰まっているのに気づかない。そして「子どもの魂を押し出して」しまう（曲の曖昧なエンディングに注意。歌詞はその飛行機が本当に墜落したとは言っていない。強い乱気流があっただけ）。父親（明らかに、ダライ・ラマを表す）は、息子を外部の現実の脅威（乱気流）から守りたいのだが、その過剰な保護が息子を殺してしまう。ここには、ダライ・ラマと「すべての風の王」の間のより深い同一性がある。明らかに示唆しているのは、痛みや苦しみから我々を救う仏教の保護が我々を抑制し、〈生〉から我々を排除することだ。だから、東ドイツの国歌の最初の一節のよく知られた皮肉な替え歌を引用すれば、「ダライ・ラマ」のメッセージは、「廃墟と一体になって、焼け落ちた未来に（Einverstanden mit Ruinen / Und in Zukunft abgebrannt）」[136]である。

しかし、「ダライ・ラマ」は、この一般的な悲観主義的な知恵に、さらにひねりを加えている。この曲の中間のリフレインは、「さらに、さらに破滅へと、私たちは死ぬまで生きねばならない」である。これはフロイトが最も純粋な意味での「死の欲動（Todestrieb）」と呼んだものだ。死そのものではなく、死ぬまで生きなければならないという事実、終わりのない生の引き延ばし、終わりのない繰り返しの強制。このリフレインは、フランスで「ラパリサード」と呼ばれているもの（「死ぬ一分前、宮殿の旦那様はまだ生きていました」のような、空虚な意味の重複）とも言える。しかし、ラムシュタインは、「どれほど長く生きても、最期には死ぬ」という明らかな常識を、「死ぬまでは、生きなければならない」に置き換えている。ラムシュタインのバージョンが空虚な意味の重複にならないのは、倫理的な次元のゆえであ

136. Roberto de la Puente, "Einverstanden mit Ruinen (Agree With Ruins)," paperblog, originally published December 11, 2012, https://de.paperblog.com/
訳注：原詞は「廃墟からよみがえり、来るべき未来へ」（Auferstanden aus Ruinen / und der Zukunft zugewandt）

る。つまり、死ぬときまで、我々はただ（自明なこととして）生きているだけでなく、生きなければならないということだ。我々人間にとって、〈生〉は決定であり、積極的な義務である。だから、生きる意志を失うということも可能である。

この「死ぬまでは、生きなければならない」という態度は、パンデミックが人間の有限性と死の必然性を思い出させる今、〈生〉が偶然性（と我々には見えるもの）の曖昧な相互作用に左右されることについて、我々がとるべき態度である。ほとんど毎日経験するように、本当の問題は「死ぬかもしれない」ことではなく、〈生〉が不確実性の中で引き延ばされるだけで、永遠の抑うつと生き続ける意思の喪失との原因になっていることだ。一方、完全なるカタストロフィや文明の終わりに魅了されると、正常性の崩壊を病的に楽しむ傍観者になってしまう。この魅了は、偽りの罪悪感（パンデミックは我々の敗退的なライフスタイルに対する罰であるなど）に煽られることが多い。

今、ワクチンの希望と同時に新変異株の拡大の懸念によって、果てしなく延期される分列状態に我々は置かれている。その一時的な出口の時間枠が変り続けていることにも注意が必要だ。二〇二〇年の春には、当局は二週間単位で進展を語ることが多かった（「二週間で、良くなるはずだ」）が、秋には二か月になり、今はほぼ半年だ（改善が始まるのは、二〇二一年の夏かそれ以降）。一部には、パンデミックの終わりは二〇二二年、いや、二〇二四年という声もすでに聞かれる。そして毎日、新しい情報がある。ワクチンが新しい変異株に効いている。いや、効いていないかもしれない。ロシアのスプートニクVは当初こそ良くなかったが、今はよく効くらしい。ワクチンの供給が相当遅れているが、夏までにだいたい打てるらしい。この果てしない「ああでもない、こうでもない」が、明らかにそれ自体の快楽を生み、悲惨な生活を生き延びるのをちょっと楽にしている。

「ダライ・ラマ」と同様に、新型コロナは日々の暮らしを粉砕する乱気流である。何が現在の神々の激憤の原因かと問われれば、神々は人間の遺伝子操作や環境破壊に腹を立てていた。では、この現実におけるダライ・ラマは誰だ? ロックダウンやソーシャル・ディスタンスに抗議する人たちにとっては、我々を守るふりをしながら、実際は社会的自由を窒息死させているダライ・ラマは、パンデミックと闘うために実施されている感染対策そのものである。

ジョルジョ・アガンベンが、最近短い詩『Si è abolito l'amore』を書いた。[137] これを読むと彼の感染対策に対する意見が明らかになる。

健康の名のもとに、愛が廃止されたら、健康も廃止されるだろう
医学の名のもとに、自由が廃止されたら、医学も廃止されるだろう
道理の名のもとに、神が廃止されたら、道理も廃止されるだろう
生命の名のもとに、人間が廃止されたら、生命も廃止されるだろう

137. Giorgio Agamben, "Si è abolito l'amore," Quodlibet, November 6, 2020, https://www.quodlibet.it/giorgio-agamben-si-bolito-l-amore

情報の名のもとに、真実が廃止されても、情報は廃止されないだろう
緊急事態の名のもとに、憲法が廃止されても、緊急事態は廃止されないだろう

同じアイディアから展開される六つのバリエーションは、すべて間違っている。まず、最後の二つの除外は間違いだ。「もし真実が廃止されたら、情報も廃止される」。なぜなら、情報は真実という背景、すなわち、情報の理解され方を決定する視野にもとづいてのみ機能するからである。「憲法が廃止されたら、緊急事態も廃止される」。なぜなら、緊急事態は緊急事態ではなくなって、新しい正常性になるからである。

次に、最初の四行の対称性は偽物である。愛はそのラディカルな意味において不健康である。恋に落ちることは、日常生活のバランスを阻害する衝撃的な場面転換である。だから、愛そのものがすでに健康を廃止している。自由のために医学が廃止されたら、残る唯一の自由は死ぬ自由である。神と道理に至っては――何の道理だ？　神を必要とせず、普通の自然主義決定論からも程遠い道理という観念は存在する。量子物理学について考えてみればよい。それに、一体どんな神だろう。アガンベンは、「祈りも犠牲も捧げられない神は、何なのだろう」と書いているが、ラカン派としては、この疑問をひっくり返すべきだろう。「神に捧げられない犠牲とは、何なのだろう」だ。何らかの〈大文字の他者〉の象徴を前提としない犠牲というのはあるのか。ラカンが答えるなら「ある。それは、〈象徴的な去勢〉と呼

ばれる犠牲だ」だろう。それ自体がポジティブな行為で、新しい富のための可能性を開く行為としての犠牲である。

そして最後に、人間と生命だ。人間のために生命を廃止する、つまり完全な自滅に繋がる（戦争の倫理のように）人間の尊厳や自由といった特定の観念のために生命を廃止することにこそ、現在の危険があるのではないか。アガンベンのフォーマットに沿って私の反論を述べるとしたら、「自由の名のもとに、医学が廃止されたら、自由も廃止されるだろう。人間の名のもとに、生命が廃止されたら、人間も廃止されるだろう」だ。

ラムシュタインの「死ぬまでは、生きなければならない」は、この膠着状態からの出口を示している。〈生〉からの撤退という方法ではなく、最大限の激しさで生きることによるパンデミックとの闘いである。命のリスクを完全に理解しながら、毎日、命をリスクにさらして働く数千万の医療従事者ほど、「生きている」人が他にいるだろうか。すでに多くの医療従事者が亡くなっているが、死ぬまでは生きていたのである。ただ我々のために自分を犠牲にしているのではない。裸の命と化した生存マシンには、なおさらあたらない。彼らは今、最も生きている人々である。

第三十一章
あるヨーロッパのマニフェスト

『共産党宣言』の有名な冒頭の一節を、今でも覚えている人がいるだろう。「ヨーロッパに幽霊が出る――共産主義という幽霊である。古いヨーロッパのすべての強国は、この幽霊を退治しようとして神聖な同盟を結んでいる。法皇とツァー、メッテルニヒとギゾー、フランス急進派とドイツ官憲……」この一節を、現在、一般に認識されている「ヨーロッパ」の状態を表すのに使えないだろうか。「世界に幽霊が出る――ヨーロッパ中心主義という幽霊である。古いヨーロッパと新しい世界秩序のすべての強国は、この幽霊を退治しようとして神聖な同盟を結んでいる。ボリス・ジョンソンとプーチン、サルヴィーニとオルバン、親移民の反人種差別者と伝統的ヨーロッパの価値観への抗議者、ラテン系アメリカ人の進歩派とアラブの保守派、西岸シオニストと「愛国的」中国共産主義者……」。

ヨーロッパに敵対する相手のそれぞれが、独自のヨーロッパ像を持っている。ボリス・ジョンソンがブレグジットを実行したのは、ブリュッセルの官僚制度をイギリスの主権とイギリス資本の自由な移動を制限する超大国と見ているからであり、一方、労働党の一部がブレグジットを支持したのは、ブリュッセルの官僚制度を労働者の権利を守る法律や規則を制限する国際資本と見ているからである。ラテン系アメリカ人の左派はヨーロッパ中心主義を白人植民地主義と同一視し、プーチンは、旧ソビエト諸国を超えてロシアの影響力を強化するため、EUの分解をもくろんでいる。ラディカルなシオニストは、パレスチナに同情的すぎるためにヨーロッパが嫌いで、一方、一部のアラブ諸国は、ヨーロッパが反ユダヤ主義の危険に執着しているのを、シオニズムへの譲歩だと見ている。サルヴィーニとオルバンは、EUのことを、外国文化から来る移民に門戸を開き、正統な伝統的ヨーロッパの価値観を脅かす多文化コミュニオンであると見ている。一方、移民はヨーロッパを、自分たちの完全な統合を許さない白人による人種差別の砦と見ている。リストはどこまでも続く。

ヨーロッパに対するこうした批判的態度は、パンデミックによってますます拍車がかかっている。ヨーロッパの個人主義が感染者数が多い原因だとされ、コミュニティの意識が強いアジア諸国の感染率の低さと比較された。迅速なワクチン接種の体制整備においては、EUは非効率的で無能だと見なされ、ヨーロッパは徐々にワクチン・ナショナリズムに屈服していった。同時に、ヨーロッパは域内の市民に特権を与え、貧困にあえぐ第三世界諸国の支援を無視したと糾弾された（ヨーロッパでのワクチン接種が遅れた理由は、全加盟国の平等なワクチン供給という原則を守った代償であることは、少なくとも認めておく必要がある）。

また、ヨーロッパを擁護する人々も同じように分裂していることを、念頭に置いておきたい。ヨーロッパをグローバル資本主義のもう一つの有能な主体として見る「テクノクラート的な」見方がある。リベラル的な見方では、ヨーロッパは人権と自由の傑出した空間となる。保守的な見方は、ヨーロッパを強力なナショナルなアイデンティティの連合として見る。こんな混乱状態では、自分の現在位置を見さだめることすら危うい。

かといって、近代の植民地主義、人種差別、奴隷制を生み出したヨーロッパは拒絶し、人権と多文化の寛容さを持つヨーロッパは支持するという態度で、ヨーロッパの様々な側面を、良い面と悪い面に区別しようとするのは安易に過ぎる。このような解決は、禁酒法時代のあるアメリカの政治家の話を思い出させる。ワインを飲むことについての立場を尋ねられた彼は、「友達との夜を素敵にしてくれる飲み物という意味で聞いているんだったら、完全に賛成だ。だが、家庭内暴力を引き起こしたり、失業や堕落の原因になったりする恐怖の種という意味だったら、完全に反対だ！」と答えた。そうだ。ヨーロッパは内部の緊張でいっぱいの複雑な観念であるが、我々は明確でシンプルな選択をしなければならない。はたして「ヨーロッパ」は、ジャック・ラカンが〈主人のシニフィアン〉と呼んだものとして、あるいは、解放闘争の意味を象徴する名称の一つとして、今も認められるのか否か？

私の命題は、ヨーロッパが衰退傾向にあり、そのレガシーに対する攻撃も真っ盛りの今こそ、ヨーロッパの擁護を決意すべきだということだ。この攻撃の主たる標的はヨーロッパの人種差別主義者や保守のレガシーではなく、ヨーロッパに特有の解放論のポテンシャルである。具体的には、宗教色のない現代性、啓蒙主義、人権と自由、社会連帯と正義、フェミニズムといったものである。「ヨーロッパ」という名称にこだわるべきだと言う理由は、良い特徴が悪い特徴より優るというだけではない。一番の理由は、ヨーロッパのレガシーそのものが、ヨーロッパで何が問題だったかを分析する、最高の重要な手段を提供するからである。「ヨーロッパ中心主義」を批判する人たちは、批判で使っているその単語自身が、ヨーロッパのレガシーの一部であることに気づいているだろうか。

間違いないことだが、この解放論のポテンシャルに対する目に見える最大の脅威は、ヨーロッパの内部、ヨーロッパの解放論的レガシーの破壊をめざす新右翼ポピュリズムから生まれている。右派のヨーロッパは、独特のアイデンティティの保持しか頭にない国民国家のヨーロッパである。二、三年前スティーヴ・バノンがフランスを訪問した時、スピーチを締めくくった言葉は「アメリカに神のご加護がありますように！　フランス万歳！」だった。[138] ヴィヴ・ラ・フランス。ヴィヴァ・イタリア。ドイツ万歳……ヨーロッパではない。このヨーロッパに対する見方が、我々の政治空間について全く違うマッピングを暗示していることに、注意しなければならない。

偉大な保守党員T・S・エリオットは『文化の定義のための覚え書き（*Notes Towards the Definition of Culture*）』の中で、宗派主義か無信仰かの選択しかない瞬間、宗教の死骸からの宗派的分裂しか、宗教を存続させる方法がない瞬間があると言った。これは現在の我々にとっても唯一の選択である。ヨーロッパのレガシーを標準的なリベラル民主主義バージョンから

138. David Reid, “Bannon Tells French Far-Right: ‘Let Them Call You Racist,’ ” CNBC, March 12, 2018, https://www.cnbc.com/2018/03/12/steve-bannon-tells-france-right-wing-to-embrace-racist-tag.html

「宗派的分離」させるという方法によってしか、つまり、古いヨーロッパの腐敗しつつある死骸から我々自身を切り離すことでしか、我々のヨーロッパのレガシーを存続させることはできないのだ。

ヨーロッパだけに集中せず、グローバルの尺度で行動すること――例えば、インドをはじめとする国々をワクチンで支援すること、地球温暖化に対して国際的な呼びかけをすること、医療を世界的に組織すること――が、今日、真にヨーロピアンであるための唯一の方法なのである。

第三十二章
ストップしたのは、どのゲーム？

この暗い日々に、数少ない魂の輝きが凝縮されたような一件が、WallStreetBetsとRobinhoodとGameStopをめぐる議論である。二〇二一年一月下旬の数日間にわたって、WallStreetBetsに関するニュースが、いつもの新型コロナやトランプの最新の奇行のニュースを上回る扱いになった。この話はよく知られているので、ポイントだけをウィキペディア風に要約してみよう。

掲示板型ソーシャルサイト「レディット」にはWallStreetBetsというカテゴリーがあり、株・オプション取引をテーマに数百万人が書き込みをしている。書き込みの猥雑さと好戦的な取引戦略で名を馳せているが、ユーザーは若い個人トレーダーや投資家、あるいは基本的な投資慣行やリスク管理テクニックなど顧みないアマチュアの若者が多い。したがって、彼らの活動はギャンブルと言ってよい。ここのユーザーの多くが利用しているのが、アマチュア向けの株式・オプション取引プラットフォーム「ロビンフッド」である。ロビンフッドでは、当初はモバイルアプリを通じて手数料無料で株と投資信託の取引ができたが、その後、有料の製品が追加発表されている。WallStreetBetsのトレーダーたちには、貨幣の価格（金利）が安いことが頼りだが、このWallStreetBetsの拡大を助けたのは、新型コロナのパンデミックが日常生活にもたらした、前例のない不確実性であることは間違いない。死の脅威、カオス、社会の抗議活動などの一方で、ロックダウンと隔離によって自由時間が増えた。

WallStreetBetsトレーダーの取引で最も良く知られている取引が、ゲーム小売大手の「ゲームストップ」社の株に対する予期せぬ大量投資である。同社の株がゆるやかに値下がりを続けているのを見たトレーダーたちが一斉に買いに走り、株価が急上昇し、市場にパニックと動揺が生まれた。ゲームストップ株への投資は、同社の事業活動（たとえば、利益の上がる新製品を開発したなど）にもとづくものではなく、一時的に株価を吊り上げ、動揺を楽しむために行われたのである。これが意味するのは、WallStreetBetsを特徴づける一種の〈自己反省性（self-reflexivity）〉の存在である。投資対象に選ぶ企業が何をやっているかは二の次で、一番重要なのは自分たちの活動が市場に与える影響なのだ。

WallStreetBetsに対する批判では、そうしたトレーダーの態度の中に、明らかなニヒリズムの兆候、すなわち、株取引をギャンブルに貶める兆候が指摘されている。WallStreetBetsのあるユーザーは、「僕は合理的な投資家から、病的で理不尽で自暴自棄なギャンブラーになった」と書き込んでいる。このニヒリズムをもっともよく表す例が、「yolo」（生きるのは（you only live）一度（once）だけ）という単語である。WallStreetBetsのコミュニティで、全資産を一社の株式やオプション取引に投資する人を指して使われる。WallStreetBetsユーザーを動機づけているのは、単純なニヒリズムだけではない。彼らのニヒリズムは、最終的な結果に対する無関心のシグナルである。

コンピューターサイエンスの研究者ジェレミー・ブラックバーン准教授は、「結末は問題ではない。手段なのだ。これに賭けているという事実、それがすべての価値なのである。確かに、儲ける場合もあるが、破産して終わるかもしれない。だけどゲームはやった。それも何か人がやらないようなやり方でやったと言う事実」と説明する。[139] これは一種の脱疎外(de-alienation)、つまり、そのゲームの何たるかを（過剰性も）暴露することではないか。ジャック・ラカンの精神分析理論では、〈直接の快楽〉(direct pleasure)（求める対象を楽しむこと）と〈剰余享楽〉(surplus enjoyment)を区別している。ラカンが挙げた単純な例は、母親の乳を吸っている赤ちゃんである。最初は空腹を満たすために吸っているのだが、やがて、吸うこと自体を楽しみ始め、空腹でないときもそれを続けるようになる。ショッピングも同じことだ（多くの人は実際に購入するものより、ショッピングという行動を楽しむ）。あるいは、一般的な性的関心もそうだろう。WallStreetBetsのユーザーは、株式取引のギャンブルという〈剰余享楽〉を明るみに出したのである。

これは政治の領域でどんな意味があるだろうか。WallStreetBetsは、政治的には曖昧なポピュリストたちの反乱である。圧力に押されたロビンフッドが個人投資家の株購入をブロックしたとき、アレクサンドリア・オカシオ＝コルテスは、まっとうな理由でこの措置に抗議

139. Jon Sarlin, "Inside the Reddit Army That's Rocking Wall Street," CNN, January 30, 2021, https://edition.cnn.com/2021/01/29/investing/wallstreetbets-reddit-culture/index.html

した。「これは容認できない。個人投資家の購入はブロックしておきながら、ヘッジファンドは思うとおり自由に株式を取引できるという@RobinhoodAppの判断について、詳細を知る必要がある」と訴えた[140]（ロビンフッドはその後取引を復旧させた）。オカシオ＝コルテスの意見には、大銀行やウォールストリートに敵対するオルタナ右翼ポピュリストであるテッド・クルスも賛成した（彼女は賢明にも連携を拒否したが）。

WallStreetBetsが、ウォールストリートに与えた恐怖を想像できるだろうか。ゲームのルールや法に従わない、プロの投資家から見ればゲームを駄目にする「理不尽な」奇人に見える「アマチュア」が、株式市場に大規模介入するのだ。WallStreetBetsの主たる特徴は、まさに、この無知が積極的に機能することである。プロのトレーダーが行ってきた投資の法やルールの「合理的な」知識を無視することで、市場の現実に深刻な影響を与えるのだ。

WallStreetBetsが大衆を引き付ける魅力は、野心的な金融トレーダーだけでなく、何千万という普通の人が参加できることにある。アメリカの階級戦争に新たな前線が開かれたようなものだ。ロバート・ライシュがツイートしたように、「これまでの話を整理すると、ゲームストップ社を冷やかしていたレディットのユーザーは株価操作にあたるが、空売りしていたヘッジファンドの大金持ちは単なる投資戦略ということか」[141]である。誰がこんなことを予想していただろう。階級戦争が、株式投資家とディーラーの対立を舞台に現れてくるとは。

結局、これは、アンジェラ・ネイゲルの書名を引用すれば、「ノーミーを殺せ」の再来で

140. Tweet by Alexandria Ocasio-Cortez, https://twitter.com/AOC/status/1354830697459032066.

141. Christine Romans, “Hedge Funds Bitching about Reddit Can Cry Me a River,” CNN, January 29, 2021, https://edition.cnn.com/2021/01/29/investing/populist-uprising-reddit-wall-street/index.html.

ある。ある記事が説明しているように、「WallStreetBetsから見れば、ノーミー（リア充）の文化は、「安全な」メインストリームの投資の文化である。長期的な利益を重視し、401（k）も組み合わせて、インデックスファンドも買っておく」[142]。しかし、今回、ノーミーは本当に「殺される」べきなのかもしれない。なぜか。堕落した投機とインサイダー取引のモデルたるウォールストリートが、本来の性質上、国家の介入や規制に反対してきたにもかかわらず、今回、不公平な競争だと訴え、国家の規制を求めているというのは皮肉だ。「ロビンフッドはギャンブルのためのプラットフォームである」というウォールストリートからの非難については、エリザベス・ウォーレンがヘッジファンドに対し、株式市場を「自分たちの個人用のカジノのように」使っていると、繰り返し非難してきたのを思い出せば十分である。要はこれまでウォールストリートが陰で非合法にやっていたことを、WallStreetBetsが公然と合法的にやっているということでしかない。

ポピュリスト資本主義のWallStreetBetsというユートピア――日中は労働者や学生で、夜は投資で遊ぶという数百万の普通の人々の理想――は、もちろん、実現不可能である。行き着くところは、自己破壊的なカオスだろう。しかし、定期的に危機に陥り、強くなって危機から抜け出すというのは、資本主義の本質そのものではないのか。一九二八年の大恐慌と、二〇〇八年の金融危機（「理性的な」ヘッジファンドが引き起こした）は、誰でも知っている事例だろう。しかし、いずれの事例でも、WallStreetBetsの場合と同じように、内在する市

142. 前述 Sarlin

場メカニズムを通じてバランスを回復することはできなかった（今もできていない）。結局、株価が高すぎるため、大規模な外部からの（国の）介入が必要なのである。では、国がゲームの主導権を取り戻し、WallStreetBetsがめちゃめちゃにした古い正常性を回復することはできるのか。そのモデルになるのは、株取引に国の厳格な規制が入る中国である。だが、これを欧米で実施するには、経済政策のラディカルな変更が必要なだけではない。全世界的な社会政治的転換によってしか、成しえないのかもしれない。

WallStreetBetsの「過剰」が、株式取引自体の潜在的な不合理さを露にした。真実の瞬間である。WallStreetBetsはウォールストリートに対する反乱ではないが、潜在的に極めて破壊的なものである。過剰な同一視によるシステムの転覆、あるいは、むしろ、システムを一般化し、潜在的な不合理性を浮き彫りにすることで転覆させているからだ。その点、最近のクロアチアの大統領選挙を戦った非主力候補の戦略に似ている。この候補の政策の焦点は、「みんなのための汚職を！　エリートが汚職で利益を得るだけでなく、皆さんも汚職から利益が得られるようにすると約束します！」であった。このスローガンを書いたプラカードがザグレブ中に現れたとき、街はその話でもちきりになり、ジョークと分かっていても人々は大いに沸いた。そう、WallStreetBetsユーザーの一月の行動はニヒリスト的だったが、このニヒリズムは株式取引そのものに内在し、すでにウォールストリートで作動している。このニヒリズムを克服するためには、株式取引のゲームから何とかして離脱する必要があるだろう。グローバル資本主義のど真ん中に多数の亀裂が走り、その背景に社会主義のチャンスが潜んでいて、見つけてもらうのを待っている。

そんなことが起きるのかと言えば、ほとんど確実に、起きない。だが、我々にとって重要なのは、WallStreetBetsの危機が、すでに多方面からの攻撃（パンデミック、地球温暖化、社会的な抗議活動）にさらされているシステムに対する、もうひとつの予想できない脅威であるという点だ。そして、この脅威は外部からではなく、システムの中心から発生している。いわば、爆発性の危険物の混合が、今進行中なのである。その爆発が先延ばしされるほど、爆発の被害は壊滅的になる可能性がある。

第三十三章
トンネルの先に光が見える?

ようやくパンデミックの「終わりの始まり」だという記事を、これまで何度読んだことだろう。感染者数や死者数はまだ上昇を続けているが、数百万人がワクチン接種を済ませ、いよいよ、いわゆるトンネルの先の光が見えている。今後数カ月をどう乗り切るかの心配はあっても、安堵のため息が聞こえてくる。パンデミックがここまで人々を滅入らせているのは、はっきりとした出口が見えない、世界の終わりが果てしなく続くような感覚のせいだ。この安堵感は当然である。

悪夢も間もなく終わるように思われる今、さっさと記憶から消し去って、一刻も早く平常の暮らしに戻ろうという話になるのだろう。一部の有識者はカタストロフィがあるたびに、何か深い意味を見つけようとするのだが、今回の苦境に、フリードリヒ・ヘルダーリンのパトモスへの賛歌の中の有名な一節「だが、危険のあるところに、救う力も生まれる」を持ちだしたりする者もある。[143] さて一体、どんな関連性があるというのだろう。科学が記録的な速さで新しいワクチンを開発したから救われた、というだけのことではないのか。パンデミックが我々に再認識させたのは、死の必然性と脆弱性ではないのか。我々は自然の一部であ

143. "Hölderlin-Trost auch in der Coronavirus-Krise: 'Wo aber Gefahr ist, wächst das Rettende auch,'" SWR2 Kulturgespräch

り、自然の主人ではない。そう気づかせて我々の傲慢さを正してくれたのではないのか。ヘルダーリンの一節は、ひっくり返した方がずっと適切だ。「だが、救う力が生まれるところ、危険もある」。この危険は多様である。まずは、世界保健機関の専門家が発表した警告だ。「コロナウイルスのパンデミックは非常に深刻だが、「必ずしも大規模ではなく」、世界は新型コロナと共存すること学ばなければならない」と言う。[144] 新型コロナのパンデミックの終息が遠いどころか（感染者数は波になって増え続けている）、新たなパンデミックが差し迫っているわけだ。地球温暖化や火災や干ばつは環境を破壊しているし、遅れて襲ってくるパンデミックの経済的な影響は、社会的な抗議運動に拍車をかけるだろう。生活のデジタルによる規制は無くならず、メンタルヘルスの問題が急増するだろう。学ばなければならないのは「ウィズコロナ」の暮らし方だけでなく、相互に繋がった様々な現象全体との暮らし方である。だから、今が今回のパンデミックでも最も危険な段階なのだ。今気を緩めることは、ヘアピンカーブの道を全速力で走る車のハンドルを握りながら寝てしまうようなものだ。必ずしも科学にもとづくことのできないような判断を、いくつも下していかなければならない。今は、まさにラディカルな政治的選択の瞬間である。

確かに、科学が我々を救ってくれるかもしれない。グレタ・トゥーンベリが、科学を信じるべきだと言ったのも正しい。しかし、真の科学的精神で、ユルゲン・ハーバーマスが記した次の二つのことも認めなければならない。一つは、パンデミックによって、我々は新しい

144. Melissa Davey, "WHO Warns Covid-19 Pandemic Is 'Not Necessarily the Big One,'" the *Guardian*, December 29, 2020, https://www.theguardian.com/world/2020/dec/29/who-warns-covid-19-pandemic-is-not-necessarily-the-big-one

ことを学んだだけでなく、どれほど多くのことを知らないかを知るようになったこと。もう一つは、行動がどんな影響を及ぼすかが分からないまま、先の見えない状況のなかで行動せざるを得ないことである。[145]すでに議論したとおり、この未知はパンデミックそのものについてだけでなく、パンデミックの経済的・社会的・精神的帰結にも関係する。単に何が起きているか分からないというだけでなく、分からないことを知っており、この未知そのものが社会的事実として、諸組織の行動の仕方に刻み込まれている。

ここで、我々はさらに一歩進めて考えなければならない。今日、分からないことがますます明らかになっているだけでなく、現実そのものが、まるでその法則を忘れたかのように振る舞っているように見える場合があることだ。

「実世界の知識」についてのジョークがある。「石ころだって、落ちているときに従うべき法則を知っている」というものである。しかし、量子力学の基本知識は、自然それ自体が法則すべてを知っているわけではないということであり、だからアルベルト・アインシュタインは、量子力学と自然の不確定性という大前提に、不安感を示した。アインシュタインには、量子力学が何らかの未知の変数を無視した不完全な理論のように思われたのである。アインシュタインとニールス・ボーアは二人とも無神論者だったが、最も有名なやりとりは、神についてものだというのは最高の皮肉だ。「神はダイスを転がさない」とアインシュタインが言うと、「神に何をすべきか指図するのはやめなさい」とボーアが返したという。この

145. Markus Schwering, "Jürgen Habermas über Corona: 'So viel Wissen über unser Nichtwissen gab es noch nie,'" Frankfurter Rundschau, April 10, 2020, https://www.fr.de/kultur/gesellschaft/juergen-habermas-coronavirus-krise-covid19-interview-13642491.html を参照

意見の相違は神についてではなく、宇宙の本性についての相違である。アインシュタインは、自然自体がある意味「不完全」であることを受け入れられなかった。パンデミックは、ボーアが正しいと言っているように思われる。

原子より小さいレベルにまで到達するこの不確定性は、我々の介入の空間を広げるものである。ただし、完全に不確定性を前提とする場合に限られる――つまり、決定論を、自然主義と神の摂理というその主要二大ヴァージョンの両方とも、拒否する場合に限られる。

スロベニアに、新型コロナの隔離規制にもかかわらず教会を開放することを主張する神学者がいる。多くの命が失われる直接原因になるという非難に対し、「教会の使命は健康ではなく、救済である」と答えた。[146] つまり、神を通じた永遠の救済に関しては、数万人の死と苦痛は問題ないということである。これはマザー・テレサがコルカタで行っていたことだ。彼女の使命は「飢える人、着るものがない人、家がない人、手足が不自由な人、目が見えない人、ハンセン氏病患者、社会のどこでも望まれていない、愛されていない、ケアされていないすべての人々、社会の重荷になり誰からも虐げられた人々[147]」の世話をすることだった。しかし、批評家がすでに証明しているとおり、彼女は健康よりも救済と臨終の際のキリスト教への改宗を重んじていた。[148] パンデミックが世界を荒廃させている今、マザー・テレサなら何をしていたかは容易に想像できる。ワクチンではなく、人工呼吸器でもなく、人々の人生の最後の数時間に陰鬱な環境で、霊的な慰めを与えていただろう。

146. “Verniki vecˇinsko ne podpirajo nadškofovega poziva vladi, naj odpravi prepoved izvajanja verskih obredov,” Domovina, December 16, 2020, https://www.domovina.je/verniki-vecinsko-ne-podpirajo-nadskofovega-poziva-vladi-naj-odpravi-prepoved-izvajanja-verskih-obredov/

147. “Missionaries of Charity,” Wikipedia, https://en.wikipedia.org/wiki/Missionaries_of_Charity に引用されたマザー・テレサ

もしパンデミックが拡大を続け（ウィルスの新しい変異によって）、ワクチンが効果を失ったら、近い将来、何が起きるかは想像に難くない。スペイン風邪のときよりも大規模に犠牲者が拡大し、パンデミックを収束させる新しい方法もなく、当局は甘んじて重症者のケア（苦痛のない死を可能にする薬も含む）に専念することになる。そして教会は、抑うつを軽減するために大々的に改宗を誘い、信心深い人々には救済を約束するだろう。

ウッディ・アレンの言葉が、我々の究極の選択を最もよく要約している。一九七九年、「歴史上のどんなときよりも今、人類は、岐路に立たされている。一方は失望と一切の絶望に向かう道、もう一方は完全な絶滅へ向かう道だ。正しい選択をする知恵を我々が持っているように祈ろう」と書いている。[149] 正しい選択は、この苦境の一切の絶望を認識して、望みが失われたことを受け入れることだ。このゼロポイントを通過した場合にのみ、新しい来るべき社会を構築することができるが、間違った選択は、新しい分断された社会――特権階級は隔離されたバブルの中に暮らし、大多数は野蛮な条件下で単調な暮らしをする社会に繋がる恐れがある。

今日、これまで以上に、平等原則第一主義（エガリタリアニズム）は単なる曖昧な理想ではなく、差し迫った必要である。分け隔てないワクチン接種、ユニバーサル・ヘルスケア、気候危機に対する世界的な闘いなどは非常に重要だ。企業にもこれを受け入れようとする兆しがある。ビオンテック社のCEOウール・シャヒンは、主要なワクチンの開発に重要な役割を果たしたトルコにル

148. Christopher Hitchens, The Missionary Position: Mother Theresa in Theory and Practice (London: Verso Books, 2013) を参照

149. Woody Allen, "My Speech To the Graduates," the *New York Times*, August 10, 1979, https://www.nytimes.com/1979/08/10/archives/my-speech-to-the-graduates.html

ーツを持つドイツ人であるが、二〇二〇年末のインタビューで、「現在の状況は良くない。他に承認されたワクチンがないため穴が生じつつあるが、当初のワクチンでそのギャップを埋めなければならない」と語っている。[150] 企業のCEOが、力を合わせないと世界的な健康危機との闘いに勝利できないため、競合他社が強くなることを願うという、最近の資本主義では稀有な素晴らしい発言である。

したがって、適切な結論としては、「トンネルの先の光が見える」の後に追加される、あの有名な警告を繰り返すことになる。その光がこっちに走ってくる別の列車の光ではないことを確かめよう。

150. “Gaps in Pfizer/BioNTech Vaccine Supply Likely,” the *Guardian*, January 1, 2021, https://www.theguardian.com/world/live/2021/jan/01/coronavirus-live-news-new-covid-variant-b117-in-united-states-since-october.

第三十四章
三つの倫理的態度

『エンチクロペディー』の冒頭で、ヘーゲルは、客観に対する思想の三つの態度（drei Stellungen des Gedankens zur Objektivität）について論じている。我々も、現在の基本的な倫理のジレンマを考えるために、この混沌に対して知識人たちが示している三つの基本的態度を類型化してみよう。

一つ目の態度は、専門家の態度——権力者から課せられた特定の業務を扱い、自分の活動の外にある社会的コンテキストは優雅に無視する態度である。フィリップ・K・ディックのSF小説、『時は乱れて（*Time Out of Joint*）』（一九五九）には、このような人々の最も極端な例が描かれている。アメリカの静かな郊外に住むレイグル・ガムという男の物語[151]。一九五九年のこと（だと彼は思っている）、彼は地元の新聞の懸賞クイズ「火星人、次はどこへ？」に連勝している。だが、物語が展開するにつれ、奇妙なことが次々とガムに起きる。ジューススタンドが消えて小さな紙きれに代わり、その紙の裏には黒い文字で「ジューススタンド」と印刷されている。そのほかにも、人工の世界に暮らしているのでは？と疑わせる異常が次々と発生した。ある日、ガムは近所に住む女性に民間防衛教室に誘われ、そこで

151. 以下のまとめは、恥ずかしながらウィキペディアの「Time Out of Joint」のページによる。

未来的な地下軍事施設の模型を見る。すると、その建物の中に何回も入ったことがあるという確固たる思いが湧いてくる。ガムの戸惑いが徐々に高まるとともに、身の回りの偽り（ガムの身を守り利用するために維持されている）が解明され始める。のどかな村は、恐ろしい事実から彼を守るために設計された作り物の現実だったのだ。本当は彼は一九九八年に暮らしていて、そのとき、地球は月入植者と戦争状態にあり、月入植者は月での永住と、地球からの政治的独立を求めていた。

実はガムは、入植者の核攻撃が次にどこを狙うかを予知する不思議な力を持っていた。最初、ガムは軍のためにこの仕事をしていたが、やがて入植者側に亡命して、密かに月に移住する計画を立てる。しかしそれが実現する前に、若いころの比較的穏やかだった暮らしを思う空想の世界に引きこもるようになってしまう。もはや、月から発射される核の攻撃から自分一人で地球を守るという責任を担えなくなっていたのだ。ガムがいた偽りの町は、子ども時代に戻るための場所となり辻褄を合わせるために、ガムの心の中に創られた町だった。当たり障りのない新聞の懸賞への応募は、彼が内戦の「悪い側」にいるという倫理的な呵責に捉われず、核攻撃の予想を続けられるようにするための偽装だった。ついにこれまでの自分を全部思い出したガムは、月に移住する決心をする。探検と移住はいかなる政府によっても否定されるべきでないと感じたからである。

ガムの苦境は、諜報機関や軍事組織のために働く現在の科学者の役割と、完全に一致する。多くは大学のキャンパスや豊かな郊外など人工ののどかな空間に暮らし、現代社会の乱雑さからは守られている。彼らの視点から見れば、その仕事は数学の難題を解く楽し気な努力に見えるが、エスタブリッシュメントは、その仕事を社会統制や軍事力強化に利用している。

小説の中のガムは隔絶された世界からの脱出に成功し、批判的な態度を身につけて、政治的な関与ができるようになる。しかし、批判的な態度ともうひとつ「ラディカルな」批判的態度というのもあり、後者——ここで私が議論したい二つ目の倫理的態度——にはそれ自体の罠がある。

チリのバンド、ロス・プリシオネロスが、嘘の「ラディカルな」左派について、「Nunca quedas mal con nadie（悪い印象を絶対に与えない）」という曲の中で完璧なイメージを示している。歌詞の一部を紹介する。

自分が完璧だと思っているのか
何かの反逆者だと思っているのか
汚染に文句を言う
自動化にあれこれ言う
人道を擁護する

世界があまりにひどいと言って泣く
社会を批判する
全部を変えなければとも言う
ステージに上がれば、自分の声に民俗的な色を付ける
「街と汚染を排除せよ」
愛らしいメロディーとロマンチックな同情
誰にも悪い印象を絶対に与えない
抗議すると自分では言う
だがな……！
お前の立場は誰の邪魔にもならない
目標は何かを攻撃することか、それとも単に称賛を得ることか
爆弾に文句を言う
そして、奴らが世界を終わらせると言う
だが、絶対に誰の名前も出さない
悪い印象を残すのが怖いんだ
自分が革命的で議論好きだと思っている
なのに、絶対に悪い印象は与えない

アメリカ人ヒッピーの真似そこないだ
聞けよ、いかれた髭面、お前の立場は
陳腐な意識高い奴らの称賛のために売られたんだ
人気の抗議運動にはすべて逆張りする
複雑な美しいメロディーで
闘っているふりをする
だがな、お前は単なる良くできたクソだ！

この曲は、チリの状況下にある人物を想起させるが、全世界的にも通用する。街の市場を見れば、有害成分を除去された製品が様々売られていることは、私が何度も取り上げているとおりだ。カフェインレスのコーヒー、脂肪分のないクリーム、アルコールゼロのビール……。まだまだある。セックスしないセックスとしての、バーチャルセックス。政治のない政治としての、専門家による行政の技巧。ウザい〈他者性〉を除去された〈大文字の他者〉の体験としての、今日に至る寛容なリベラルの多文化主義。そして、ここでもう一つ、ロス・プリシオネロスが文化領域からこのリストに追加しているのが、重要な人物像「カフェイン抜きの抗議者」だ。あらゆる正しいことを言う（歌う）が、不可欠な鋭さが欠けている抗議者のことである。地球温暖化に危機感を持っているし、性差別とも人種差別とも闘う。

ラディカルな社会変化を求めているし、世界の連帯という大がかりな感傷にひたる者は誰でも大歓迎する。しかし、そのすべてが、あくまで自分の生活を変えることを求められない程度に（たぶん、あちこちに寄付するぐらいは大丈夫）である。自分のキャリアは継続し、容赦ないくらいに対抗意識が強いが、必ず有利な側にいる。

ジョージ・オーウェルは、『動物農場』の序文で、自由に意味があるとすれば、「人々が聞きたくないことを言う権利」だと書いている。これは「カフェイン抜きの抗議者」が決してやらないことだ。聴衆が聞きたいことだけを言うからだ。では、それは何なのだろうか。今日の学界の「ラディカル左派」の中に支配的な態度は、未だに、一九三七年にオーウェルが階級格差について述べた態度だ。「我々は皆、階級区別に憤慨している。だが、本当にそれを撤廃したい人は非常に少ない。どんな革命的な意見も、何も変えられないという隠された確信があるから強くなれるのだ」[152]。急進派は、迷信じみた象徴として「革命的な変化」の必要性を訴えるが、実際は真逆の達成に働いてしまうというのが、オーウェルの主旨である。つまり、革命的な変化が実際に起きるのを防いでいるということだ。今、資本主義による文化帝国主義を批判しながら、実際には自分の研究分野が瓦解する可能性に恐々としている学界左派に見られる態度だ。だから、必要な容赦ない凶暴さを持って真実に対峙する、ロス・プリシオネロスのようなバンドが必要なのである。我々を悩ませる悪に名前を与える勇気を持たなければならない。

152. George Orwell, The Road to Wigan Pier (1937), available online at http://gutenberg.net.au/ebooks02/0200391.txt
153. Nir Hasson, “Jerusalem Mayor Invites Holocaust Forum Attendees to Cocktail Party,” *Haaretz*, January 20, 2020, https://www.haaretz.com/israel-news/.premium-j-lem-mayor-invites-holocaust-forum-attendees-to-cocktail-party-complete-with-dj-1.8414774

もう一つ、「複雑な美しいメロディーで、人気の抗議運動にはすべて逆張りする」人物の例を、世界の別の地域から見てみよう。二〇二〇年一月、エルサレムの市長モシェ・レオンは、旧市街の地下洞窟でDJを招いて行われた未曽有のカクテルパーティーに、世界ホロコーストフォーラムの参加者を招待した。[153] こんなイベントがホロコーストの記念式典の締めとして適切だと考えられることは、猥褻性が一般の日常生活にどんどん入り込んでいるこの混沌とした世界においてならではだろう。このイベントからわずか数日後に、もう一つの猥褻性の暴露――トランプの中東「平和計画」が発表されたのも不思議ではない。両者間の平和の提案だというのだが、一方はちゃんと相談され、もう一方は無視されている。

カルロ・ギンズブルグは、自分の国を愛することではなく、恥じることがその国の一員であることの本当の印だという考え方を提案した。[154] この恥の意識の最高の事例が、二〇一四年、ホロコーストの生存者と生存者の子孫数百人が、ニューヨークタイムズ紙に出した意見広告である。「ガザのパレスチナ人に対する虐殺と、歴史あるパレスチナの占拠・植民地化」の行為を激しく非難している。[155] 声明には、「イスラエル社会に見られるパレスチナ人に対する人種差別的な人間性の蹂躙には、極めて強い危機感を持つ」と書かれている。幸い現在、ネタニエフやそれに味方するトランプなどの指導者が行う政治を、恥と感じる勇気を持つイスラエル人は増えている。もちろん、ユダヤ人であることに対する恥ではなく、ヨルダン川西岸でイスラエルの政策がユダヤ教の貴重なレガシーに対して行っている行為に対する

154. Carlo Ginzburg, "The Bond of Shame," in *New Left Review* 120 (November/December 2019), p. 35–44 を参照

155. Matthew Kassel, "NY Times Runs Ad From Holocaust Survivors Condemning Israel, Attacking Elie Wiesel," the *Observer*, August 25, 2014, https://observer.com/2014/08/ny-times-runs-ad-from-holocaust-survivors-condemning-israel-attacking-elie-wiesel/

恥である。これは、ロス・プリシオネロスも前掲の「Nunca quedas mal con nadie」や他の曲で伝えていることである。「時には自分の国を恥じることが、完全に国の一員となり、国のために闘う唯一の方法だ」と。

では、我々の混沌たる世界の狂気に対する、「三つ目の態度」とはなんだろう。現実のアサーションそのものに退却することもなく、批判的な態度に潜む罠も避けられる態度とは、何だろう。あるいは、もっと倫理的な言葉で言えば、批判的な立場の幻想を抜け出した後に、生き続けるために我々はどうあればよいのだろうか。

カタストロフィ（環境、経済など）の理論家、ジャン＝ピエール・デュピュイは、最近の著書『*La catastrophe ou la vie*（カタストロフィか生か）』[156]で、新型コロナパンデミックに対する考察をまとめ、同書の冒頭、カタストロフィの影響力に関する自身の理論に、パンデミックが突き付けた問題について書いている。彼が議論の出発点としているのがアンリ・ベルクソンである。『道徳と宗教の二つの源泉』の中で、ベルクソンは、一九一四年八月四日、フランスとドイツの戦争が布告されたときに感じた奇妙な感覚を表現しているのだが、ここで決定的に重要なのは、事前と事後の間の断絶というモダリティである。勃発する前の戦争は、ベルクソンには「あり得るが、同時に不可能」に思われた。最後まで持続する複雑で矛盾した観念[157]だったのである。だが勃発後、戦争は突然現実となり、かつ可能になる。この可能性の遡及的な出現にパラドクスがある。

156. Jean-Pierre Dupuy, *La catastrophe ou la vie* (Paris: Editions du Seuil, 2021)
157. Henri Bergson, *Oeuvres* (Paris: PUF, 1991), pp. 1110–1111

「現実を過去に挿入して、時間を遡って有効にできるというような偽りの主張はしていない。だが、疑いもなく、可能性を過去に挿入することはできる、あるいはむしろ、可能性が自らを過去に挿入することは、いつでも可能である。予想不可能な新しい現実が生まれる限り、現実の像は、自分の後ろ、すなわち無限の過去に自らを反映させる。だから、この新しい現実は、必ず、すでに可能性を持っていたことに気が付く。しかし、可能になり始めるのは、まさに現実の実際の出現の瞬間である。だから私は、その可能性——現実に先行しない可能性が、この現実が現れれば、現実に先行していたことになると言うのである[158]」。

戦争が起きる前、人々は軍事衝突の脅威があることは十分承知していた。だが、起こりうると心からは信じていなかった。戦争は「不可能」だと考えたのである。我々の日々の認識論では、知識は信念よりも高い（強い）と考えられ、よく知らない何かを信じることはあるが、完全な知識は自動的に信念を伴う。しかし、ベルクソンの場合、信じていないが知っていたわけだ。そして、戦争が勃発したとき、人々の態度は即座かつ自動的に、「ノーマライズ」された。戦争が「可能な」ものとして受け入れられたのである。ここでのパラドクスは、現実性が可能性に先んじ、その基礎となっている点である。不可能と思われていたことが実際に起きると、可能になるのだ。

158. Bergson, *Oeuvres*, p. 1340

しかし、パンデミックについては、物事が（ほぼ）反対の方向に進んだ。パンデミックが起きる前、その可能性だけでなく必然性でさえ、広く議論されていた。皆、パンデミックを予想していたし、知っていて信じないことはなかったと推測できる。ウィルスによるカタストロフィは、予告されていた限り可能ではあった。だが、実際にそれが起きたとき、信じる気になれなかったのだ。カタストロフィは「ノーマライズ」されるのではなく、「不可能」として認識された（今も多くの人がそう認識している）し、幅広い様々なモダリティで否定された（徹底的な否定、陰謀論など）。

ここで考慮しておくべきは、時間の側面である。感染流行や地球温暖化のような大きなカタストロフィについて言うとき、たとえパニック状態でも、原則として、我々は近すぎない未来（十年先など）を想定するものである。「今行動しないと、すぐに手遅れになる」というよく聞く発言に現れているとおりである。あるいは、カタストロフィをどこか遠い場所に置く（オーストラリア北部のサンゴ礁が消滅しつつある、氷河が溶けている……）。しかし、パンデミックは起きた。猛然と我々を襲い、社会生活をほとんど停滞させた。

では、そんな苦境において、我々はどんな態度をとるべきなのか。全力で倫理的に関与するのに障害となるのは、つまり、問題に積極的に対峙するのを邪魔するものは、単に疲労感である。いわゆる「コロナ疲れ」のパラドクスで言えば、一般には、変化のない習慣の反復が人生を退屈なものにすると思われているが、最近の我々が飽き飽きしているのは、そんな変化のない習慣がないことにである。国が人付き合いの方法を指図する新しい規制を出し、日常にリラックスできない、永遠の「例外状態」に暮らすことに疲れているのだ。ライナー・パリスなど多くの人が、社会をまとめていたルーチンにパンデミックが与える脅威を指摘し、日常生活が破壊され続けていることを嘆くエッセイを発表している。[159]

ここで、最高のゴールドウィン主義と呼べる逸話を思い出す。「映画の中に古いクリシェが多すぎる」と批評家が文句を言っていると聞いた後、監督サミュエル・ゴールドウィンは脚本部に「もっと新しいクリシェが必要だ!」と書いたメモを渡したという話である。この話は一般化できる。今、最も難しい仕事は、普通の日常生活に「新しいクリシェ」を作ることである、と。

もちろん、この蔓延している疲労感がどう作用するかには、大きな文化的違いがある。「コロナ疲れ」は先進欧米諸国の人々の方が厳しい、なぜなら達成の衝動(compulsion to achieve)のプレッシャーが世界の他の地域より厳しいからだ、と指摘するビョンチョル・ハンは正しい。

自らに課した目標達成の衝動は(…)余暇にも頭を離れず、夢の中でも苦しめ、寝れぬ夜をもたらす。達成の衝動から回復するのは不可能である。我々を疲れさせているのは、この内部の圧力であるのは間違いない。(…)社会における利己主義、アトム化、

159. Rainer Paris, "Die Zerstörung des Alltags," WELT, September 23, 2020, https://www.welt.de/kultur/plus216264982/Corona-Die-Zerstoerung-des-Alltags.html

ナルシシズムの高まりは、世界的な現象である。ソーシャルメディアは我々全員を自分自身をビジネスとするプロデューサー、あるいは企業家に変え、コミュニティなど、あらゆる社会的なものを蝕む「エゴの文化」をグローバル化する。自分自身をプロデュースし永遠に陳列する。この自己プロデュース、エゴの継続的な「陳列中」状態が、我々を疲れさせ、落ち込ませるのだ。（…）根本的なところの疲れは、突き詰めれば一種のエゴの疲労である。在宅勤務も、より深い自分に巻き込むことによって疲労感を高める。エゴを紛らわせてくれるはずの他者がいない。（…）決まった儀式的な行動がないことも、在宅勤務が疲労感を生む理由である。フレキシビリティの名のもとに、我々は固定された時間の構造と、生活を一定に保ち活気づける構造とを失いつつあるのだ。[160]

後期資本主義に見られる「自己プロデュース」の継続によって、抑うつ的な疲労が引き起こされるなら、パンデミック下のロックダウンは物事を容易にするはずだ——社会的に隔離されていて、他者のために演じなければというプレッシャーは少なくなるのだから……と考えるかもしれない。残念ながら、ロックダウンの影響は正反対である。仕事も社会的な接触も、かなりの部分がZOOMや諸々のソーシャルメディアに移行され、どう見えるかを気にして、もっと熱心に自分の展示とプロデュースに勤しまなければならないからだ。自分を見せるプレッシャーから脱出してくつろげる付き合いの場は、大方消滅してしまっている。だ

160. Byung-Chul Han, "The Tiredness Virus," the *Nation*, April 12, 2021, https://www.thenation.com/article/society/pandemic-burnout-society/.

から逆説的に、パンデミックによるロックダウンと在宅勤務という状況によって、我々の継続的な「陳列中」状態が、ある意味、強化されているわけだ。ZOOMでは元気に輝いているが、実は自宅で一人疲れ果てて座り込んでいる……。

ということで、疲労という基本的な感覚ですら、突き詰めるとイデオロギー的であることがはっきりする。日常的なイデオロギーの一部となった自己顕示のゲームの結果である。

ムラーデン・ドラーは、この苦境をヴァルター・ベンヤミンから借用した言葉を使って、「静止状態の弁証法（dialectic at a standstill）」と呼んだ。[161] この状況は、未定の状況でもある。不安げに物事が動き始めるのを待っている、〈新しいもの（the New）〉が爆発するのを待っている状況だ。しかし、手詰まり感は言い換えれば無感覚や悪化していく無反応であり、ニュースを無視したり、未来を心配するのを辞めてしまったりする人を増やす、人を欺くものである。それが、前例のない社会変化の時代にあるという事実を覆い隠してしまう。パンデミックの発生以来、グローバル資本主義の秩序は大きく変わってきた。実は、我々が不安げに待っている大きな転機は、もう現に起こっているのだ。

この現在進行中の転機に対する普通の反応、つまりパンデミックについての主な考え方は、予想可能なモチーフの組み合わせである。パンデミックによって、社会と経済の緊張が一気に爆発したことに加え、我々が自然の中心ではなく、一部であることを再認識させられた。だから、個人主義を制限し、連帯の新しい形を発展させ、地球上の生命の中で穏当な位

161. 私信

置を受け入れることで、ライフスタイルを変えなければならない、という。

あるいは、ジュディス・バトラーが言うように、

世界が人間にとって居住可能かどうかは、人間がその中心には置かれていないような地球の繁栄にかかっている。我々が環境有害物質に反対するのは、毒が含まれているかもと心配することなく、人間が生きて呼吸できるようにだけではない。水と空気が人間を中心にするのではない命を持たなければならないからでもある。この相互につながった時代に、個人という固定された形を取り除くことで、人間がその再生に頼る地球の上で、人間が果たす必要のある小さな役割が想像できる。これを左右するのは、人間のより小さく、より気配りのある役割である。[162]

この一節の中に、少なくとも二つ、問題があると私は考える。ひとつは、なぜ「個人という固定された形」を標的にするのか。現在の我々の問題は反対ではないのか。経験したことのない新しい状況にも簡単に慣れてしまう、あまりにも柔軟な個人の形が問題なのではないのか。「自らを作り直せ」という繰り返される永遠のプレッシャーの中で生き、あらゆる安定した形を「抑圧的」と感じているのではないか。また、パンデミックがこれほどトラウマ的なのは、固定された信頼できる日々の儀式的な行動が奪われたからではないのか。

162. Judith Butler, "Creating an Inhabitable World For Humans Means Dismantling Rigid Forms of Individuality," *TIME*, April 21, 2021, https://time.com/5953396/judith-butler-safe-world-individuality/

もうひとつの問題は、「水と空気が人間を中心にするのではない命を持たなければならない」、すなわち、地球上での人間の役割はもっと謙虚なものであるべきという主張は、単純に過ぎないかという点だ。地球温暖化をはじめとする環境の脅威は、我々に環境への、様々な形の生命の壊れやすいバランスへの、直接の集団的な介入を求めている。今後、脅威はますます強くなるだろう。地球の平均気温の上昇を摂氏二度以下に抑えなければならないと言うとき、地球の生命のゼネラルマネージャーとして言っている（行動しようともする）のであって、他の命の中の謙虚な一種としてではない。地球の再生を左右するのは、「人間のより小さな、より気配りのある役割」なんかではなく、有限性と死の必然性に関するあらゆる議論の下にある真実、すなわち、人間の途方もなく大きな役割のはずである。

ここに明確になるのは、現代科学と主観性においてすでに作用している極端な形のギャップだ。現代科学と主観性は自然を征服することをめざしているが、地球上の一つの種としての人間性のヴィジョンと厳格に共依存している。水や空気の命を気にしなければならないとしたら、まさに、人間がマルクスの言う「普遍的存在」であるという意味だ。いうなれば、自分を離れ、自然の全体性の些細な契機として自分たちを認識できる存在である。近代以前には、人間が自分たちを「万物の霊長」と考えており、逆説的に、それはずっと謙虚な立場を意味したはずだが。

これは、我々がこのクレージーな時代に持ち続けなければならないパラドクスである。人間が地球上のたくさんの種の中の一つであることを受け入れるために、そして同時に、「普遍的存在」として考え行動するために、だ。人間の有限性と死の必然性という心地よい慎み深さの中に逃げ込むことは、選択肢にはならない。それはカタストロフィに続く道である。

第三十五章

パリ・コミューンから百五十年

二〇二一年は、パリ・コミューン百五十周年。一八七一年三月十八日から五月二十八日まで、二か月と十日間続いた自治政府である。普仏戦争でフランス軍は手痛い敗北を喫し、ドイツ軍がパリの目の前まで迫るなか、市民は臨時政府から統治を奪取し、既存の国家権力の座標の外で自分たちの力を組織した。だが、フランス臨時政府は力でパリ・コミューンを制圧し（そして、いわゆる「血の一週間」で多数のコミュナードが殺害された）、その後、この蜂起の原因調査が行われた。

調査は、反乱の原因は神への信仰の欠如であり、即座に修正されなければならない問題だと結論した。修正には道徳の再生が必要であると判断され、重要な措置として、四千五百人のコミュナードをニューカレドニアに流刑にすることになった。流刑の目的は二つあり、コミュナードが島で先住のカナック族を文明化することと、コミュナードを自然の秩序に晒すことで、「善」の側に戻すことを、政府は期待していた。[163]

163. “Paris Commune,” Wikipedia, https://en.wikipedia.org/wiki/Paris_Commune

すぐに矛盾に気づくはずだ。フランス自体が頽廃していると認める判断なのに、コミュナードを〈善〉の側に戻すために自然に近い（非キリスト教の）未開人の中に隔離し、同時に彼らを「文明化」する……どうやって？　フランスの頽廃によってか？（似たような矛盾は、頽廃した文明に満足できず、開発が遅れている人々に真正性を求める人たちにもないだろうか。自分の真正性の観念を投影しているだけなので、実際には未開の人々に毒を運ぶことになるのだが）。今となっては、政府の意図とは逆に、追放されたコミュナードが植民地化されたカナック族との連帯を体験したことを願うしかない。

後知恵で、コミュナードがほとんどあらゆる失敗を重ねたとか、始めから失敗が分かっていたとか言うのは簡単だ。しかし、パリ・コミューンが劇的に新しい始まりを印したことは確かだ。歴史上初めての労働者の政府であり、近代の労働者が初めて権力を握った。ヘーゲルがフランス革命について言った言葉を当てはめることもできる。

> 太陽が天空にあって惑星がそのまわりをまわるようになって以来、人間が頭で、つまり思想で立ち、思想にしたがって現実を築きあげるといったことはなかった。ヌース（知性）が世界を支配する、最初にいったのはアナクサゴラスだったが、今初めて人類は、思想が精神的現実を支配すべきだと認識するにいたったのです。ここには、まさしく、かがやかしい日の出がある。思考する全ての人びとがこの時代をともに祝福してい

ます。神と世界との現実の和解がいまはじめてもたらされたかのごとくで、高貴な感動が時代を支配し、精神の熱狂が世界を照らしだします。[164]

だが、この二つの出来事の著しい相違も目につく。フランス革命はヨーロッパ全体の民衆に崇高な感情を呼び起こした（その影響に関するカントの有名な記述が思い出される）が、パリ・コミューンはおおむね恐怖と捉えられた。コミューンが制圧されたのち、ジョルジュ・サンドからギュスターヴ・フローベールまで、「啓蒙された」作家たちが堕落した人間性の実例を見に、コミュナードの裁判を傍聴にやって来た。ニーチェは、コミューンを最後の奴隷の反乱だと片付けた。栄えある例外は、投獄されたコミュナードの恩赦を求めて闘ったヴィクトル・ユゴーぐらいのものである。

だが、フランス革命からコミューンまでの継続性は、また別の話である。フランス革命の第一段階で見られた啓蒙された大衆の受け止めは熱狂的だった。そして、ジャコバン党が主導権を握ったとき、この熱狂が一転、恐怖に変わる。一七八九年には賛成、一七九三年には反対。政治力学の観点では、コミューンはこの一七九三年の再現であったと言えるのだが、厳密にはそうではない。一七九三年には起こらなかったことが、コミューンでは起きた。

マルクスは、コミューンを称賛している。国家の克服とプロレタリアートの解放のための「ようやく見つかった形」として、つまり、「プロレタリアート独裁」がどのようなものか初

164.『歴史哲学講義（下）』ヘーゲル著、長谷川宏訳（1994 年、岩波文庫）359 頁

めての体験としての称賛である。しかし、コミューンはマルクス自身にも意外だったことに注目が必要だ。忘れがちだが、マルクス主義者はコミューン内では少数派だった。マルクスは、コミューンの最中および直後に書かれた『フランスの内乱』の中で、意気揚々とコミューンを解釈している。無政府主義、プルードン主義、バクーニン主義などが多数派を占め、自分の支持者は軽んじられていた出来事を、ちょっと失敬した形だ。加えて、コミューンの支持基盤は労働者だけなく、職人や零細事業者などでもあった。

コミューンが指導者として考えていた人物は、ルイ・オーギュスト・ブランキだ。彼は革命の結果としての将来の社会よりも、革命そのものに関心があるフランスの革命的社会主義者だった。マルクスとは逆に、ブランキは、労働者階級の重要な役割も大衆運動も信じておらず、革命は小さな集団によって実行されるべきで、その集団が力によって一時的な独裁体制を確立すると考えていた。移行期間の独裁によって新しい秩序の基盤の実行が可能になった後に、権力を国民の手にゆだねるという考えである。要は、ブランキは、文字どおりのレーニン主義だったのである。

一八七一年三月十七日、普仏戦争の敗北後の混乱の中、フランス政府の元首代行であったアドルフ・ティエールは、ブランキの脅威を認識しており、彼を逮捕した。数日後、パリ・コミューン成立に繋がる反乱が起きると、ブランキは反乱者のコミューンの大統領に選出される。コミューン側は、ブランキを釈放すれば捕虜全員を解放するとティエール政権に提案したが、拒絶された。マルクス自身は、ブランキを批判はしても、ブランキがコミューンの求める指導者であることは認めていた。ブランキは革命のプログラムを重要視しておらず、むしろ、国家を打倒し権力を奪取できる組織化された集団の形成を目標としていた。だから、ボルシェヴィキ政権がコミューンより一日長く続いたときに、レーニンがクレムリンの中庭で雪に降られながら踊ったというのも不思議ではない。しかし、ボルシェヴィキ政権はコミューンの真の継承者だったのか。答えは、イエス。当初、ボルシェヴィキらが統治を正当化するために使ったスローガンは「すべての権力をソヴィエト（地域集会）へ！」だったからだ。もっとも、その後すぐに解散してしまったが。

では、マルクスは、なぜコミューンを意外に思ったのか。そこから何を学んだのだろうか。コミューン以前、マルクスは「革命」を中央権力が実行する一連の政策（銀行の国有化、誰でも無料の医療と教育など、『共産党宣言』の最後に一覧されている）として考えていた。コミューンの「意外性」とは、民衆による地方の自主的な組織化、つまり、下からの、地方評議会からの、民衆の積極的な参加によって高まる民主主義の試みだという点である（ジャコバン党がこの段階を経なかったのは、彼らにとってそれが議会の廃止を意味したからだ。だから、逆に議会の通常の一回の投票で影響力を奪われた）。

ならば、コミューンは現代の我々にもモデルとなりえるのだろうか。主たる政治的代表制の形が疲弊している今、直接の国民の覚醒を通じて、政治的関与は再生するのだろうか。それは可能だ。だが、歴史の手厳しい教訓は、「困難はあとからやって来る」ということである。人々の熱狂を、正確なプログラムを持った効果的な政治組織へと変えていかなければならない困難である。

フランスの黄色いベスト運動が見せた、あのリーダー不在の分散した「カオス的」特徴を考えてみればよい。日常の経験と政治的代表制の間のギャップを暴露したのであるから、確かにそれが彼らの強みだった。決まった代理人が国家への要求を伝え、対話の相手として名乗り出るのではなく、あるのは多様な形式の民衆の圧力のみである。そして、権力者をパニックに陥れるものは、まさに、この圧力が明確な敵の中のどこにあるか分からず、アントニオ・ネグリが〈マルチチュード（multitude）〉と呼んだものの一種として残ることである。そうした圧力が具体的な要求を示しても、必ずしも抗議の本当の意図ではない。だが、ある時点で、感情的な要求は政治プログラムに転換される必要がある（さもなくば、消滅する）。黄色いベストの抗議者の要求は、リベラル民主主義の資本主義秩序に対する深い不満の表出である。だが、その秩序の中では、抗議者の要求は議会政治の代表制のプロセスにおいてしか満たされることがない。言い換えれば、抗議者の声は経済・政治組織の別の理論を求めるもっと深い要求を内包しているのであって、この深い要求を稼働させるには、新しい指導者が必要なのである。

解決策は、何か自主的に組織化され参加する市民社会が、直接国家権力に取って代わることではない。〈マルチチュード〉による直接統治は幻想である。原則として、強力な国家装置の中で維持せざるを得ないからだ。

二〇一七年、トランプは就任式の演説でこう言った。「今日の式典には特別な意味があります。なぜなら私たちは今日、単にひとつの政権から別の政権に、あるいはひとつの政党から別の政党に、権力を移譲しているだけではないからです。私たちは権力をワシントンから、国民の皆さんの手に戻そうとしているのです[165]。これまでは、エリートによる統治だった。しかし、「それはすべて変わります。まさに今、ここで。なぜならこの瞬間は皆さんの瞬間だからです。皆さんのものです。今日ここに集まった全員のもの、アメリカ全土で見守っているすべての人のものです。今日は皆さんの日です」。この言葉を単なる陳腐なデマゴギーと解すべきではない。国民の直接権力の考え方の何が間違っているかを示すものと解するべきである。ブランキ主義のやり方で、実際に二〇二一年一月、民衆が議事堂を襲撃することで権力を握ろうとした。もちろん、この「民衆」はその特権が脅かされた白人中産階級なのであるが、少なくともその行動は代表制の根深い危機を反映していた。

では、解決策となるのは、直接民主主義のヴィジョンと実践を備えた、一種のコミューンへの回帰なのだろうか。「偽の」議会の襲撃者にも、「正統な」黄色いベストの民衆にも異議を唱えるべきなのか。「民衆の意思」はそもそも、操作され正確に伝わりにくいものだが、その十分な反映にむけて努力すべきものとされてきた。だが、おそらく、「ポスト真実」の

165. "2017 Donald Trump Inauguration Speech Transcript," January 20, 2017, POLITICO, https://www.politico.com/story/2017/01/full-text-donald-trump -inauguration-speech-transcript-233907

政治で我々が目撃しているものは、真の正当な「民衆の意思」という考え方全体の終わりなのだろう。

トランプのポピュリズムを打倒する方法は、国民の真の代表ではないとか、本当の国民の意思はポピュリズムの外で表明されるようにすべきだとか、訴えることではない。民衆の意思が徹底に「操作」されうるという事実そのものが、民衆の意思が幻であるという特徴を表しているのだ。ヘーゲル的な言い方をすれば、「代表制への批判」はそれをひっくり返して、「代表制が代表すべきものに対する批判」にするべきなのである。この点に至るためには、コミューンと現在の状況を比べるのではなく、現況と一八四八年の二月革命を比べる必要がある。

マルクスが二月革命について書いた文章から、階級としての分割地農民（peasant）の政治的地位についての、当然ながら有名な一節を思い出そう。

> 分割地農民はとてつもない規模の大衆で、そのメンバーは似たような状況で暮らしているが、おたがいの関係が何重にもなることはない。彼らの生産様式が、彼らをおたがいに交流させるかわりに、おたがいに孤立させている。（…）こうやってフランス国民の大規模な大衆が、同じ名前のものを単純に足し算してつくられる。たとえばジャガイモを袋に詰めることによってジャガイモの袋ができるように。（…）彼らはみずからを

代表することができず、〔誰かに〕代表してもらうしかない。彼らを代表する者は、彼らの代表者であると同時に、どうしても彼らの主人、彼らの上に立つ権威として登場することになってしまう。無制限の統治権力として、彼らを他の階級から守り、彼らに上から雨と日光を送るのである。だから、分割地農民の政治的な影響を突き詰めて言えば、統治権力が社会を従属させている、ということになる。[166]

エジプトにおいて、アラブの春の抗議者たちが政治的に十分に代表されることを求めて、ムバラク政権を倒し民主主義を打ち立てたのも、これと同じではなかったか。しかし、民主主義を手にして、代表されていなかった人々が投票に行き、権力を与えたのはムスリム同胞団だった。実際の抗議活動に参加した人たちはそのほとんどが教育を受けた中産階級の若者で、自由を掲げていたのだが、政治的には周縁化されてしまった。今、代表性の問題は先進欧米諸国でも急拡大している。各階層すべて代表されていない――代表制そのものを偽物と見ているため、代表されることを積極的に拒否すらする。そして代表制が発動されるときは、ポピュリズムの指導者の旗のもとである。おそらくこの「政治的代表性を信じない人々の運動」が、ポピュリズムの簡潔な定義なのだろう。

マルクスが一八四八年のフランス小農の抗議を表現した一節が、〔アメリカの〕議事堂の襲撃に完全に当てはまる。「彼らの革命運動への参加は、不器用に狡猾で、ならず者的に無

166.『ルイ・ボナパルトのブリュメール18日』カール・マルクス著、丘沢静也訳（2020年、講談社）159頁

垢で、間抜けのように高尚で、計算された迷信、病的な茶番、賢く愚かな時代遅れ、おどけた世界史の一ページ、文明人の理解のための判読不能な象形文字である。この象徴が、文明の中で野蛮を代表する階級の見まがうことなき特徴を持っていた」[167]。議事堂の「革命的な」襲撃者らは、不器用に狡猾で（自分たちは巧言によって誰でもだませると考えていた）、ならず者的に無垢で（民衆の自由の具現化としてのトランプを支持することにおいて）、間抜けのように高尚で（アメリカ政府によって裏切られた建国の父らの偉大な伝統を喚起する）あった。彼らは計算された迷信（拠りどころとした陰謀論を本当には信じていない）に従って行動し、病的な茶番（革命的な熱気を偽装）を演じ、賢く愚かな時代遅れ（自由という古いアメリカの価値観を擁護する）を代表した。このように、彼らは真に「判読不能な象形文字」なのである。我々の文明の隠された対立を明らかにする、反啓蒙主義的な野蛮の爆発である。

現代の特徴であるこの反啓蒙主義の推進力は、「ポスト真実の時代」という語で表現されることが多い。アメリカの法制度で最近起きた事件が、この奇妙な現象の核心に迫っている。二〇二一年三月、ドミニオン・ヴォーティング・システムズ社は、親トランプの右翼弁護士シドニー・パウエルを相手取って名誉棄損訴訟を起こした。同社が製造した電子投票機器は二〇二〇年の選挙で複数の地区で使われたが、パウエルは同社がトランプ大統領の票を当選したバイデンの票にすり替えたと発言したのである（ほかにも、同社がベネズエラのウゴ・チャベス前政権ともかかわりがあると主張している）。パウエルの弁護は異様だった。新たに提訴し

167. Karl Marx, "The Class Struggles in France, 1848 to 1850," in Selected Works, vol.1 (Moscow: Progress Publishers, 1969), https://www.marxists.org/archive/marx/works/1850/class-struggles-france/ch02.htm

た事件で彼女は、分別のある人なら、二〇二〇年大統領選挙以降の彼女の詐欺的主張を事実だと信じたりしないと言い放ったのである。

実際、原告団自身が彼女の問題発言を「的外れの非難」や「常識外れな主張」と見なして、繰り返し「本質的にありそうもない」とか、ははは「不可能」とレッテル張りしている。名誉棄損とされる発言をこのように見なすことで、分別のある人ならそんな発言を事実と受け止めず、対審手続きによる法廷での検証が必要な主張としてしか見なさないはずだという被告の主張をさらに補強している。[168]

基本となる論理は、少なくとも一部の分別ある人が鵜呑みにする可能性がある場合にのみ、主張は実際に名誉棄損（かつ起訴されうる主張）となるというものである。だから、問題のある主張でも「常識外れ」とか「ありそうもない」と見なされる場合は、つまり、分別ある人ならまともに受け取らない場合は、問題のある主張も名誉棄損に当たらず、起訴されることもないということになる。

ヒットラーの抗弁を同じ言葉を使って書くとしたら、と考えてみる。ボルシェヴィキとユダヤ人の陰謀というヒットラーの考えは、あまりにも常識外れで、ありそうもないので、分別ある人なら誰もまともに受け取らないとなる。だが問題は、その常識外れな考えのせい

168. Katelyn Polantz, "Sidney Powell Argues in New Court Filing that No Reasonable People Would Believe Her Election Fraud Claims," CNN, March 23, 2021, https://edition.cnn.com/2021/03/22/politics/sidney-powell-dominion-lawsuit-election-fraud/index.html.

で、何百万人もが死んだということだ。そして、似たようなことは（もちろん重みは違うが）パウエルにも言える。彼女の唱えたような主張が数百万人を動員し、アメリカを内戦の瀬戸際まで追い詰め、死者まで出たのだ。

さらに根本的な疑問は、名誉棄損を拡散しながら、パウエル本人は、すべての分別ある人がそれは馬鹿げた虚偽だと思っていると気づいていたのなら、なぜ、彼女はそれでも拡散を続けたのか、だ。人々の理不尽な衝動を動員することで、分別のない群衆を操作し誘惑するためか。話はますますこんがらがってくる。そう、パウエルは自分の名誉棄損に合理的根拠がないと気が付いていた。知っていて事実でないことを広めていた。だが、自らの罠にはまり、真実でないと知っていたものにすっかり一体化したかのようになった。彼女は自分の嘘から自分を除外するような操作はできなかった。彼女はその「犠牲者」たちとまったく同じ立場だったのだ。

パウエルの名誉棄損は噂の域を出ないが、公的な議論にまで昇りつめた噂である。パウエルの一件は、噂が公的空間で大っぴらに動作し、社会的繋がりを形成するという新しい時代の例となっている。[169] パウエル流の〈フェティシストの否認〉は、人の公的な尊厳に関する伝統的な否定の裏返しである。従来の「リーダーに私的な罪があることを知っているが、彼の尊厳を守るために罪がないかのように私は振る舞う」が、「この噂が本当であるかどうか良く知らないが、本当であるかのように私はこの噂を拡散する」となる。

169. "Four Reflections On Power, Appearance, And Obscenity," in Slavoj Žižek, *Pandemic! 2: Chronicles of a Time Lost*（New York, NY: OR Books, 2020）を参照

数十年前、私は似たような論理に遭遇した。『シオンの議定書』を真実だと擁護する反ユダヤ主義者との激しい議論に巻き込まれた時である。この『議定書』は一九〇〇年頃、帝政ロシアの秘密警察が捏造した、ユダヤ人による秘密の世界征服計画といわれるものを内容としている。私は、それが捏造であると納得できる証拠があることを指摘した（この文章の多数の事実誤認から、疑いもなく、これがフェイクであることは明らか）。しかし、その反ユダヤ主義者は、『議定書』は正統なものだと強く主張し、文章には誤りがあるという明らかな批判に対して、その『議定書』が偽造に見えるように、ユダヤ人自身がわざと誤りを入れたのだと言い出した。非ユダヤ人がそれを真に受けないように、そして、内情を知る者たちは疑わずに手引きとして『議定書』を利用できるようにしたと言うのだ。

その狂気じみた反ユダヤ主義者が想像したことは、シドニー・パウエルが事実として押し付けようとしたことと同じである。パウエルは、自分の発言を「常識外れ」で「ありえない」ことと突き放し、真剣に受け止めてもらうためではなく、自分の言葉の現実の効果を持続させるために拡散したわけである。まさに、この「ポスト真実の時代」において、イデオロギーがどう機能するかを表した例である。共通の公共空間が徐々に崩壊する過程にあって、我々はもはや国民への信頼を失っている。つまり、イデオロギーの操作という呪縛を解くチャンスを国民に与えさえすれば、国民は実質的な真実に到達すると信じることはできない。ここに、我々は、フランスの抗議者たちによる大いに称賛された「指導者不在」の混沌とした自己組織化の致命的な限界に打ち当たる。指導者が国民の声を聞き、国民の関心と希望を政策として形にするのでは、決して十分ではないのだ。

だから、かつてヘンリー・フォードが、量産型自動車を開発するときに、人々が何を欲しがっているかを無視したというのは正解だった。人々に何が欲しいか聞いても、「馬車を引っ張るのに強い良い馬が欲しい」と言うだろうと、フォードは簡潔に表現している。同じことが現在必要とされている政治指導者にも言える。黄色いベスト運動の抗議者たちが欲しがったのは、良い（強くて安い）馬だった。彼らの場合、皮肉なことに、車のための安いガソリンだったのだが、車が導入されて飼料の値段が問題にならなくなったように、ガソリンの値段が問題にならないような社会のヴィジョンこそが、抗議者たちに与えられるべきだったのである。

しかし、これはもちろん、真の指導者であることの一面でしかない。もう一つの、反対の側面は、避けれない場合には困難な決断も下せる能力である。戦場でどの部隊を犠牲にするか。医療資源が足りないときに、どの患者を諦めるか、等々。

テレビシリーズ『ニュー・アムステルダム 医師たちのカルテ』で年長の医師が言う。「リーダーたちは一晩中寝られなくなるような選択をする。もしよく寝られるのなら、君はリーダーのひとりではない」。逆説的に、選挙による政治的代表性のメカニズムでは捉えきれない「過剰」は、指導者あるいは指導的機関の中にのみ十分に表出されるということだ。長期の社会的・経済的政策を課すことができ、選挙の間の短い期間に制約されないリーダーである。これは、総動員（universal militarization）のように聞こえるだろうか。そう、来るべき共産主義は戦時共産主義か、さもなくば何もなくなるかである。[170]

この点こそが今、コミューンのレガシーをどう考えるべきかである。懐かしい記憶にうっとりするのではなく、多くの矛盾する利益によって労働者階級が散り散りになっている状況下で、民衆の動員をどう想定できるかに集中しなければならない。ヘーゲルが完全に認識していたとおり、〈指導者（the Leader）〉（あるいは指導的な共同体）は、以前から存在する何か実体のある内容、つまり「国民の本当の意思」を反映するのではない。本当の〈指導者〉は、文字どおり、混乱した一貫しない傾向から、統一された政治的主体としての〈国民（the People）〉を作り出すのである。

一九五三年の夏、東ベルリンで労働者の抗議が勃発したとき、ブレヒトは『the Solution』という短い詩を書いている。

六月十七日の蜂起のあと
作家組合の書記長が
スターリンアレーのパンフレットを配った
人民は政府への信頼を失ってしまった

170. 詳細な議論は、Fredric Jameson et al., ed. Slavoj Žižek, *An American Utopia: Dual Power and the Universal Army* (London: Verso Books, 2016). を参照

それを取り戻すには
仕事の割り当てを増やすしかないと言った
もっと簡単なんじゃないか
政府が
国民を解散させて
別のを選ぶことのほうが

この詩は、通常、党の傲慢さへの辛辣な非難として読まれる。だが、指導者が文字どおり国民を再創造し、規律を守る政治勢力として別の国民を「選ぶ」という、あらゆる真にラディカルな解放のプロセスに起きることを、リアリズムで描写したものと解釈するとどうなるだろう。いつの日か、フェミニズム、反人種差別、LGBT＋の闘争、マイノリティーの擁護、労働者の闘争、表現の自由の闘争、ヘイトスピーチのカウンター、情報公開の取り組みなどが、みんな一つの大きな〈ムーヴメント〉へと結集し、トランスフェミニストとイスラム女性が一緒にデモに参加する、知的自由が制約されていると感じる学生が、今の給料では生きていけないと言う労働者と一緒に抗議の声を上げる、そんな夢や希望は捨て去らなければならないのだ。

同様に、アラン・バディウは、オキュパイ・ウォールストリートの抗議活動や、トルコやエジプトの二〇一一年の抗議活動のなかで、参加者はほとんどが教育を受けた中産階級出身で、サイレントの労働者階級を動員できていないと嘆いた。オキュパイ・ウォールストリートや黄色いベストについては、さらに一歩進めて、先進欧米世界の労働者階級は、すでにレーニンが呼んだ「労働貴族」の一部となっていて、人種差別に陥りやすく、支配階級に買収されており、解放の可能性を奪われていて、すでに我々の味方ではないと訴えている。一九六八年に学生たちがルノーの工場に行き、その労働者と会ったという有名なシーンの夢は終わった。今、我々がやるべきは、職がなく生活が不安定な知識層、不満を持つ学生、移民……らの間を繋ぐことだ。この努力の影に隠れているのは、マルクスの労働階級に代わる真の解放の主体となるものを探す、必死の試みである。バディウは「非定住プレカリアート」を候補に挙げている。

国民に対する十分な言及が欠けている限り、コミューンの純真という神話は諦めるべきだろう。陥落（二十世紀の「全体主義」の恐怖）前のコミュナードが共産主義者だったかのように、コミューン内では阻害された中間構造などなく、直接協力の夢が実現されたかのように（実際にはネズミを食べていたとしても）扱うのは止めよう。国家機関による疎外の克服や社会の自己透明性の実現にばかり汲々とするのとは対照的に、今の我々にとっての課題は、ほぼ真逆に、「よい疎外」を実現し、マジョリティの消極性に様々なモードを編み出すことなのではないだろうか。民衆の動員の公式は、フロイトの「エスのあったところに、自我が生じなければならない」（Wo Es war, soll Ich werden）の政治ヴァージョン「カオス的民衆がいたところに、党組織が現れなければならない」だ。あるいは、ヘーゲルなら、「カオス的民衆の〈実体（substance）〉が生まれようとしている場所に、十分に組織化された〈主体（subject）〉が秩序と方向を課す」と表すだろうか。

しかし、今日の我々は、この公式にもうひとひねり加えて、〈主体〉から〈実体〉へと、〈主体〉が作り出す別の〈実体〉へと戻らなければならないのだ。信頼を持って暮らし、生活の充実をめざせる、新しい社会秩序へと戻らなければならない。

第三十六章
なぜ私はまだ共産主義者なのか

二十世紀の共産主義者の夢は終わったと認めたのは、私が最初だ。そして、あの古い馬鹿げた信念——共産主義は良い考えなのに、全体主義の倒錯者たちが崩壊させた——から、私は考えうる限り遠いところにいる。いや、元々のヴィジョンにすでに問題があり、マルクス本人に対する厳しい再評価も受けなければならない。ただ、権力を握った共産主義者は、一部良いこともやった。教育、保健、ファシズムとの闘い——色々聞かされるが、全体を見れば、唯一の本当の勝利は、一九八〇年以降に中国で起きたことである。ほぼ間違いなく、人類史上で最大の経済的成功だ。数億人が貧困から中産階級にまでなったのだ。

中国はどうやって、これを成し遂げたのだろうか。二十世紀の左派を特徴づけていたのは、強引な個人主義と疎外の力学による資本の支配と、権威主義・官僚主義的な国家権力という二つのモダリティーの基本的傾向に対する抵抗であった。しかし、今の中国では、まさに、この二つの特徴——強い権威主義的国家と荒っぽい資本主義力学とが、極端な形で組み合わさっている。そして、これこそ現在、社会主義の最も効率的な形に他ならない。だが、私が求めているのは、これなのか？

今の中国は、ヘンリー・ファレルが「ネットワーク化された権威主義」と呼ぶものの典型になりつつある。この考え方は、

国家が国民を十分に監視して、機械学習システムを使って国民の行動を取り込み、対応できるようにすれば、「ホームゲームで民主主義を打倒できる効率的なライバル」を作り上げることができる。民主主義よりうまく、皆のニーズを満たすようなライバルである。中国はその好例だ。親中派も反中派も、中国は、機械学習とユビキタスの監視を駆使して、持続可能な独裁政治を作り出しつつあると認める。「安定した状態を保つための、情報の収集と照合、市民のニーズの十分な把握」という「基本的な権威主義のジレンマ」を解決する能力を持つ独裁政治だ。しかし、ファレルは、これは実際に起こっていることではないと推測する。中国は実際には信じられないほど不安定である（非合法ストライキ、抑止の利かない民主化要求運動、強制収容所、債務バブル、製造業の崩壊、日常的な誘拐、大規模汚職など）[171]。

リベラル西側諸国も、すでに、デジタルコントロールのより上手い使い方を理解している。一部で「監視資本主義」と呼ばれるネットワーク化された民主主義だ。その中では民主主義と自由も許容されるが、非効率なものにされている。このデジタルコントロールの新し

171. Cory Doctorow, "Networked Authoritarianism May Contain the Seeds of Its Own Undoing," BoingBoing, November 25, 2019, https://boingboing.net/2019/11/25/mote-in-the-cctvs-eye.html

い形から分かるのは、なぜ人々がリベラル民主主義においても抵抗するのかである。人々は自由に対して抵抗しているのではない。日々の経験が教えるように、「ネットワーク化された民主主義」は、ある意味、「ネットワーク化された権威主義」より抑圧的だということに抵抗するのである。

三十年前のベルリンの壁の崩壊については、その「奇跡」的な特質が強調されるのが今では当たり前になっている。それは、夢の実現、何か想像できないことの実現、数カ月前にはありえないと思われていたことの実現だったというのである。共産主義政権の崩壊は、まるでトランプのピラミッドのように崩れ落ちた。そして、ポーランド。国民の誰が、自由選挙でレフ・ヴァヴェンサが大統領に選ばれると想像できただろう。ただし、その数年後の一九九五年、さらに大きな「奇跡」が起きたことも付け加えておかねばなるまい。元共産主義者が民主的な自由選挙で権力の座に戻ったことである。この選挙でヴァヴェンサは完全に見放され、十五年前に「連帯」を軍事クーデターでつぶした張本人、ヴォイチェフ・ヤルゼルスキ書記長にすら人気で劣った。そこからさらに二十年後には、三つ目の驚きの出来事があった。なんとポーランドは今、右派ポピュリストの手中にあり、この人物は共産主義もリベラル民主主義も否定している。この国で何が起きていたか、何がこんな予想もしない逆転を引き起こしたのか。

これを「資本主義リアリズム」という言葉で説明しようとする向きもあるかもしれない。

だが、問題は、東ヨーロッパの人々は資本主義の現実的なイメージを持っていなかったこと、そして、未成熟なユートピア的な期待でいっぱいだったことである。勝利の美酒に酔いつぶれた翌朝、酔いを醒まして、新しい現実のルールを学ぶ辛いプロセスを経験しなければならなかった——政治的・経済的自由の代価である。それはまるで、ヨーロッパの左派が二度死んだようなものだ。一回目は「全体主義」的共産主義左派としての死、二回目は、一九九〇年代から、徐々に支持を失っていった穏健な民主主義左派としての死である。

しかし、実際の物事はもう少し複雑だ。東ヨーロッパ各国で民衆が共産主義政権に抗議したとき、資本主義は大多数の念頭になかった。彼らは社会保障や連帯といった、ざっくりとした正義を求めていた。国家統制の外で生きる自由、好きなように集まり話し合う自由を求めていた。シンプルに正直で誠実に暮らすこと、原始的なイデオロギー的な教化や巷に満ちた偽善から解放されて暮らすことを望んでいたのである。要は、抗議者たちを導いた曖昧な理想は、大部分は、社会主義イデオロギーそのものからの引用だったのである。そして、フロイトから学んだように、抑圧されたものは、ゆがんだ形で回帰する。ヨーロッパでは、反体制派の空想のなかで抑圧された社会主義が、右派ポピュリズムを装って返ってきたのだ。

東ヨーロッパの共産主義の崩壊を解釈する中で、ユルゲン・ハーバーマスは、究極の左派フクヤマ主義であることが証明された。彼は既存のリベラル民主主義の秩序が可能な限り最善であると黙って認めた上、それをより公正なものにするために努力すべきで、基本前提を問い直すべきでないと言っている。東ヨーロッパの反共産主義抗議者については、ポスト共産主義の新たな未来のヴィジョンに突き動かされたのではないという事実があり、多くの左派がそれを大きな欠点として見ているのだが、ハーバーマスはこれを歓迎している。彼によると、中央ヨーロッパ・東ヨーロッパの革命は、「修正する」あるいは「遅ればせの」革命に過ぎず、その目的は西ヨーロッパがすでに持っているものを手に入れること。言い換えれば、西ヨーロッパの正常性に戻るためであるという。

しかし、一方、黄色いベストや香港のデモ、そのほか今日の同様の抗議者（スペイン、韓国、その他各地……）は、明らかに「追いつく」運動ではない。彼らが具現化しているのは、現在の世界の状況を特徴づける奇妙な逆戻り、「普通の人々」と金融資本エリートとの古い対立が、猛然と舞い戻ってくる逆戻りである。「普通の人々」はエリートに怒りをぶつけ、エリートが苦しみと要求を理解しないと糾弾する。しかし、新しい点は、右翼ポピュリストのほうが左派よりも、人々の怒りを自分の味方につけるのが巧みであることだ。だから、黄色いベストに関して「混乱を生むすべてが赤いわけではない」としたアラン・バディウの言葉は、至極もっともだ。現在の右翼ポピュリストは、かつてはほぼ左派しかやらなかったような民衆による抗議活動の長い伝統を踏襲している。また、一部の活動は、金持ちの反乱と呼んでよいものである。カタルーニャが（バスク国家もそうだが）スペインで最も豊かな地域であること、香港は中国本土よりも人口一人当たりだとずっと裕福であることを忘れてはならない。

すると、おのずとパラドクスに直面せざるを得ない。リベラル民主主義に対するポピュリストの失望は、一九八九年が単なる「遅ればせの」革命ではなかったことの証明になる。あのポーランド共産主義政権の打倒につながった抗議は、リベラル資本主義の正常性以上のものをめざしたのであり、資本主義的近代への深い不満を捉えるのに成功したのが、新右翼のポピュリストであったということだ。

フロイトは、文化における不満あるいは不安（Unbehagen in der Kultur）について語っている。ベルリンの壁崩壊から三〇年、今起きているリベラル民主主義自体の中の新しい抗議の波（その究極の例がフランスの黄色いベスト）は、ある種のリベラル資本主義における不満が表出したものだ。そして、一番の疑問は、誰がこの不満の表出で目立っているかだ。国家主義ポピュリストが不満を利用するのを黙って見ていていいのかだ。そこに左派の大きな役割がある。起きつつある不満を、実行可能な変化のプログラムに変換するという役割である。

映画『Vフォー・ヴェンデッタ』のラストシーンでは、数万の非武装のロンドン市民がガイ・フォークスの仮面をつけて、国会議事堂に向けて行進する。命令のない軍は群衆の侵入を許し、人々が議事堂を占拠する。すばらしい恍惚の瞬間だ。『Vフォー・ヴェンデッタ・パート2』があるなら、私は「母を奴隷に売ってでも」見たい。民衆の勝利の次の日、恍惚の熱情が終わり日常生活が再開するとき、何が起きるのか。日常をどのように組織化してい

172. イデオロギーを強調するピケティは正しい。ポストイデオロギーを自賛する時代にあっても、イデオロギーは社会で重要な役割を果たす。しかし、ピケティのイデオロギー重視は、あまりにも無垢すぎる。かなり文字どおりの意味で理解しており、左派は社会民主主義の福祉国家の実現にさらに向かうこともできたが、一九七〇年代以降、イデオロギー的な盲目によりこのチャンスを失ったと主張している。

くのか。

トマ・ピケティは、『資本とイデオロギー』でラディカル化された社会民主主義を提案する中で、この疑問に一つの答えを示している。[172] ピケティの提案は、福祉国家を再度実施して、ラディカルにすることである。ソヴィエト式共産主義のようなあらゆる富の国有化ではなく、資本主義を維持しながら、二十五歳になったすべての成人に一括金を渡すことで資産を再配分するのである。彼が提案する累進的な所得税があれば、政府は国民全員に、富裕国の平均賃金の60％に相当するベーシックインカムを支給することができ、経済の脱炭素化の予算も確保できる。また、企業の理事会定数の50％を社員にし、最大株主の投票権を10％までに抑える。さらに、一人ひとりについて地球温暖化の原因を追跡できる個人カードを使って、個人の炭素税を導入する……。では、そんな没収じみた税率は受け入れられない金持ちが、海外移住したらどうするか。ピケティは出国税とともに、世界中どこにいても徴収から逃れられなくする、グローバルな司法制度を提案している。その目標に向けて、各国の立法府から引き抜かれてきたメンバーから成る超国家議会を想定している。

ピケティとアラン・バディウのテレビ討論は、現在のラディカル左派の行き詰まりの極端な実例を見るようであった。[173] バディウは、新しい世界的な革命の力として勃興しつつある「非定住プロレタリアート」というヴィジョンを示した。国民国家や議会制民主主義を越え、資本主義を排する力である。バディウは、今ある民主主義を越えて、新しい革命的なイ

173. “Contre Courant – Avec Thomas Piketty,” QG TV, November 18 2019,https://www.youtube.com/watch?v=roNWZwo0lS4 を参照

ンターナショナリズムに向かうべきだと訴える。一方、ピケティの提案は実用的だと自称しているものの、同様にユートピア的で、資本主義と民主主義の手続きの中で解決法を探している。

三つ目の夢というのもあって、それは地方民主主義の活性化である。だが、私に言わせれば、ピケティとバディウの提案よりもさらに悪い。ファヴェーラから「脱工業化」デジタルカルチャーまで、現在の「直接民主主義」の実践は国家装置に依存しなければならない。その存続は「疎外された」組織のメカニズムの分厚い構造にゆだねられている。電気と水はどこから来るのか。誰が法の支配を保証するのか。医療は誰に頼むのか。コミュニティの自己統治が進むほど、このネットワークはスムーズに目につかないように機能する必要がある。おそらく、我々は解放の目標を、疎外の克服から正しい疎外の実施へと、変更するべきなのかもしれない。「疎外されていない」コミュニティのスペースを維持する「疎外された」（目に見えない）社会のメカニズムは、どうすればスムーズに機能するかこそ問題だからである。福祉国家が非常に魅了的に見えるのは、この点である。自分で貧しい人々を助ける必要はない。匿名の国家装置が代わりにそれをしてくれる。除外された人々や恵まれない人々と、直接対峙するのを避けることができる。

では、二十世紀の共産主義プロジェクトは失敗し、殺人テロの新しい形を生み出したと考える私が、なぜ、忌まわしい共産主義の名前にこだわるのか。まずは、我々は黙示録的な見通しに覆われた時代にいるという事実から始めよう。多様な、真に対立する黙示録的な脅威がある（但し書きとして、私が黙示録的な脅威と言う場合、この領域が非常に曖昧で微妙であるかにも、また、実際の危険の正確な認識と、待ち受ける世界的なカタストロフィという幻想的シナリオとの間は紙一重であると言うことにも、私は気づいている）。終末期を生きること、あるいはカタストロフィを意識することには、独特の享楽がある。逆説的なのは、その享楽が、実際には直面するのを避けている、来るべきカタストロフィにこだわることによって生まれる点だ。そして、私は、共産主義を現在の問題の解決法ととらえているのではなく、直面する問題の適切な把握と出口構想を可能にする（今でも）最善の名称として考えている。

我々は、ヘーゲルが喜びそうな実に興味深い反転の瞬間に生きている。この十年、二十年で、フクヤマ主義の「歴史の終わり」（そこでは、すでに可能な限り最善の社会形成が実現されている）は、黙示録的なヴァージョンに代わった。我々はまだ歴史の終わりに来ていないが、終末的なカタストロフィを装った「終わり」に近づいているのだという。これら「終わり」のふたつのヴァージョンには、共通する形式的な特徴がある。無限に延々と続く感覚である。フクヤマの世界は、大きなことも新しいことも起きない世界で、局所的な改善を伴って生活が続いていく（数十年前にコジェーヴが「スノッブの世界」と言い表した世界）。そして、終末の方も、常に近くにある。一種の終わりのない辺獄、終わることのできないものとして経験される時間の終わりのなかで延々と過ごす。そんな状況に、我々は芸術（一世紀以上前から死に絶えつつある）の面でも、哲学（ヘーゲル以降、自棄あるいは自己克服している）面でも、慣れてしまっている。いずれの「終わり」でも、死は、途方もない生産性と新しい形の拡散に繋がっている。まるで、死の真実が奇妙な不死性であるかのように。

ここで当然やるべき唯一のことは、全体像を丸ごとひっくり返すことだ。つまり、終わりはすでに起きていたのに、我々はそれに気づかなかったのである。ちょうど、アニメーションで、断崖絶壁を歩き続け、足元に地面がないと気づいた瞬間に落ちていく、あの猫と同じだ。ある意味、世の終わりはすでに起きたことを出発点にすべきなのだ。社会はすでに広くデジタルに監視され規制されているし、環境の変化はすでに進行しているし、数万人がすでに移動中である。だから「〇時まで五分」とか、行動しカタストロフィを防ぐ最後のチャンスであるとかというメタファーは、捨て去らなければならない。すでに〇時を五分も過ぎている。むしろ問題は、まったく新しいグローバルな布置の中で何をすべきかである。もちろん、来るべきカタストロフィを防ぐために闘うべきでないという意味ではない。アニメのジョークに戻るなら、現在の状況はふたつの「終わり」の間にある。一方の「終わり」は足元に地面がないのに歩き始めるときに起きる「終わり」。もう一つは、実際に落下するときに起きる「終わり」である。我々はすでに断崖絶壁の上空を歩いており、足元の地面はない。しかし、あの猫とは対照的に、死へ真っ逆さまにならない方法は、その断崖絶壁をしっかり見下ろし、適切に行動することである。

アレンカ・ジュパンチッチが明確に記しているとおり、環境の終末はすでに起きているという究極の証拠は、それがすでに「ノーマライズ」されているということだ。我々は「理性的に」それに適応する方法、あるいは、そこから利益を上げる方法すら着々と思案しているではないか（シベリアでは広い地域が農業に開放され、グリーンランドではすでに野菜が栽培でき、北極の氷が解けて中国からアメリカへの輸送に要する期間が短くなった……）。

「ノーマライズ」の典型的な事例は、アサンジやマニング、スノーデンなどの内部告発者の暴露に対する、一般の反応にも見える。それほど否定的な反応（「ウィキリークスは嘘を拡散している！」）ではないが、「どの国の政府もそういうことを常にやっているのはみんな知っている。何も驚きじゃない」といった反応である。人生の様々な現実にクールな表情を保つ強者たちを参考にして、暴露から受けるショックを中和する。だがそんな「リアリズム」に逆らって、我々は、ウィキリークスが暴露した犯罪の猥褻さと恐怖に、完全にかつ純粋に心を打たれるべきなのである。時には、純粋さが最大の美徳となる。

ノーマライゼーションを最も声高に訴えるのは、マット・リドレイのようないわゆる「理性的な楽観主義者」だ。彼のグッドニュースには頭を抱えた。二〇一〇年代は、アジアとアフリカで貧困が減少し、汚染が改善するなど、人類史上で最高の十年だったと言うのである。[174] もしこれが本当なら、ますます広がる黙示録的な雰囲気はどこから来るのか。自己発生的かつ病的な、不幸を求める要求の結果ではないのか。理性的な楽観主義者たちが些細な

174. Matt Ridley, “We've Just Had the Best Decade in Human History. Seriously,” the *Spectator*, December 29, 2019, https://www.spectator.co.uk/2019/12/weve-just-had-the-best-decade-in-human-history-seriously/ を参照

問題を怖がりすぎだと言うのなら、我々の答えは、逆に、「まだ怖がり方が足りない」である。アレンカ・ジュパンチッチは、「終末はすでに起きたのに、終末の脅威に死ぬほど驚くぐらいなら、死んだ方がマシだとまだ思っているようだ」と指摘している。[175] 破滅の瞬間や諦めによる「終わり」への期待は、偽りの勇気にもとづいた我慢強さに入れ替わっている（「どうにかして切り抜けられる。怖気づいてパニックにならないようにしよう」）。

理性的な楽観主義者と破滅の預言者が、コインの裏表であることは簡単に分かる。楽観主義者は気楽にいこう、警戒する理由はない、状況はそんなに悪くなんかない、と言う。破滅の預言者は、すでにすべてが失われた、だから気楽にいこう、この派手なショーを楽しもうと言う。両者とも我々が考えて行動したり、判断して選択したりするのを妨害する。

したがって、本書で説明したあらゆる理由から、今の我々に最適な選択として挙げるべきは、それでも「共産主義」である。共産主義が多数の可能性の一つというのではなく、それが唯一の選択である。我々に提供される他の選択肢（大企業が謳う「グレート・リセット」など）は、何かを変えようとする方法でありながら、実際には何も変えない。共産主義を選択すれば、それを選ばざるを得なかったことが分かる。共産主義によって、我々はやらねばならないこと、やる必要があることを自由に選択するのだ。かつてヘーゲル派が、「自由は認識された必然性である」と言ったそのことである。共産主義が避けがたく起きなければならないというのでもない。起こらないかもしれないし、自己破壊的な乱痴気騒ぎとか、新しい封建

175. Alenka Zupančič, *The Apocalypse Is Still Disappointing*（原稿）

的企業資本主義とかで終わる可能性もある。しかし、一度、共産主義を選択すれば、それが唯一の出口だと言うことが分かる。

監修者解説

ジジェクの現状分析——「分断された天」と「ラディカルな選択」

岡崎龍

本書は、Slavoj Žižek, *Heaven in Disorder*, New York/London: OR Books 2021 の全訳である。現代社会を論じたものとしてジジェクはコロナ禍の観点から『パンデミック　世界をゆるがした新型ウイルス』（斎藤幸平監修、中林敦子訳、Pヴァイン、二〇二〇年）、『パンデミック２　COVID－19と失われた時』（岡崎龍監修、中林敦子訳、Pヴァイン、二〇二一年）を発表しているが、ラカン派精神分析やヘーゲルらドイツ古典哲学の哲学者たちの思考法を用いながら現代社会を縦横無尽に論じた本書は、内容から見ても執筆のスタイルという観点から見ても右記二著の続編とみなすことのできるものである。

本書はおおむね二〇二〇年から二〇二一年にかけての世界情勢についてのジジェクの分析からなる。目次からわかるように、その内容はウィキリークスの立ち上げ人ジュリアン・アサンジからチリの政権交代、反ユダヤ主義、イスラエルによるテロの被害者としてのヨルダン川西岸のパレスチナ人（逆ではない）、トランプおよびバイデンの批判的検討、リベラル民主主義の批判など多岐にわたり、最終的には（ジジェクが『パンデミック』や『パンデミック２』

において繰り返し呼び掛けていた）「共産主義」の具体的な内実を改めて提示し直す形で締めくくられる。

ジジェクによる個々の分析の当否については以下では論じない。代わりに、本書を貫くものであるようにみえるジジェクの二つの概念について概観してみたい。その概念とは、本書の表題となっている「分断された天」、そして「ラディカルな選択」というものである。

㈠分断された天

序章で説明されている通り、本書の表題にある「分断された天」とは毛沢東の言葉「天下大乱、形勢大好（天の下のすべては大いなる無秩序の中にある。この状況は大いに好ましい）」（本書、七頁）をもじったものである。ただしジジェクのもくろみは、危機に乗じて革命勢力の拡大を図ろうとする毛沢東の洞察を現代化しようとすることではない。むしろジジェクはこの毛沢東の洞察の前提を問い直すことで、現代の危機を考察する本書の方法論的な立脚点を提示しようとしている。

それでは、ジジェクが問い直す毛沢東の前提とは何か。それは、「天」という、危機に満ちた此岸的な現実の彼岸にある安定化装置とでもいえるものである。現実は様々な危機に満ちており、したがって無秩序の様相を呈しているが、その背後には、こうした無秩序や一切の対立から独立し、安定した彼岸が控えている、この彼岸をわがものとすることが肝要なのだ、というわけである。

しかしジジェクは、クリスタ・ヴォルフの小説『引き裂かれた空』を補助線にしながら、こうした「天」についての想定を退ける。「現在の我々は〈天〉それ自体を「無秩序の中」にあるものとして考えなければならない」(本書、七頁)。ジジェクの主眼は、危機に満ちた現実の彼岸にあって、その実現が待たれるべきであるような中立的な理想の想定を破壊することにある。こうした発想は、ジジェクの独特なキリスト教の理解のうちによく表れている。ジジェクはイエスについて次のように述べている。

十字架上のキリストの死が意味するものは、我々の行動の幸せな結果を保証する超越した管理人としての、歴史的目的論の保証人としての神の観念を、容赦なく削除すべきだということである。キリストの死はまさにそういう神の死であり、歴史上のカタストロフィの残酷な現実を曖昧にするような、いかなる「深い意味」をも、その死が拒否している。(本書、一七二〜三頁)

ジジェクは以前にもキリスト教を主題的に扱った著作を発表しているが(中山徹訳『脆弱なる絶対――キリスト教の遺産と資本主義の超克』、青土社、二〇〇一年)、本書で上の箇所がもつ方法論的意義は非常に大きい。というのもジジェクによれば、まさにキリスト教において、危機における超越的存在者の想定が一掃されているからであり、こうした一掃そのものがキリスト教の核心として示されているからである。異教の神を一掃して真のキリスト教の神を信仰することがキリスト教の要求であるのではない。現実の危機に対して無条件に妥当する処方箋を提示したり、危機に高次の意味付けを行ってその正当化をしようとするあらゆる超越的な審級を（もしキリスト教の名のもとにそういうものが提示されているとしたら、それも）「容赦なく削除」すべきだということになる。[1]「そう、我々が絶望の中で運命を恨むとき、高位の力は救ってくれないことを勇気をもって受け入れるとき、我々と共に神はいるのだ」（本書、一七三頁）。そして当然、神はいるのだといっても、ただ「いるだけ」であることを忘れてはならない。それゆえ、危機の彼岸の中立的で超越的な審級として毛沢東が規定した「天」は、実のところ「分裂した」それでしかありえないのである。

ここに、ジジェクが近年繰り返し論じている「絶望する勇気」という観点が練り直されていることがわかる。ジジェクは同名の著書（中山徹・鈴木英明訳、青土社、二〇一八年）で絶望について論じたほか、『パンデミック』においてもその意義を繰り返し論じていた。その際重要であったのは、超越的審級の無効化という概念的なレベルの議論と並んで、例えばトランプに代表される右派ポピュリズムに対置されるリベラル民主主義（GAFA企業と結託するリベラル・エスタブリッシュメント）の全能性に対する批判的な視座であった。本書でジジェクがこ

1. 第二四章では言及されていないが、ここにヘーゲルのキリスト教観の重要な論点が継承されていると考えられる。例えば『精神現象学』の啓示宗教論は、神の死によって始まり神の死によって終わるばかりでなく、神が死んだにもかかわらず依然として超越的審級による恩寵を求めようとする終末論への苛烈な批判を含むものである。この点については拙稿「ヘーゲル『精神現象学』における教団内の対立――カント、シュライアマハーとの比較を通じて――」日本倫理学会（編）『倫理学年報』第七一集、二〇二二年を参照されたい。

うした絶望論の延長線上に位置づけるのが、「ラディカルな選択」という概念である。

㈡ラディカルな選択

ジジェクが絶望の意義を強調するとき、そこで要求されているのは、目を閉じて運命に身を任せたり、絶望的状況を嘆きながらもそのなかでの個人的なサバイブ術に磨きをかけることでもない。ジジェクによれば、むしろ絶望に続くべきは、特定のオールマイティな解決策に溺れて絶望から逃避しようとすることを注意深く避けながら、レーニンのいう「具体的な状況の具体的な分析」（本書、九頁）を行うことである。そして、そうした分析の指針としてジジェクが示すのが「ラディカルな選択」だと言うことができる。

「ラディカルな選択」の核心は、「選択が必要な時には選択をすべきであり、偽の選択であれば選択を拒否すべきだ」（本書、一一二頁）という点にある。本書では「パレスチナ人に対するイスラエル政府の所業を巡る正当な批判」に対して、それを「反ユダヤ主義的な批判」であるとして無効化しようとする議論があることを論じた文脈で提示されるものであるが、ジジェクの著作に親しんでいる読者であれば、バトラーとラクラウとの共著『偶発性・ヘゲモニー・普遍性——新しい対抗政治への対話』（竹村和子、村山敏勝訳、青土社、二〇〇二年）以来ジジェクが好んで用いる表現「はい、お願いします！」を思い出すかもしれない。これは階級闘争かポストモダンかという問いへのジジェクの答えであるが、一冊目の『パンデミック』でコロナ禍での行動規制か自由かという問いを巡ってアガンベンを厳しく批判したときにも用いられていたものである（『パンデミック』、第八章）。

「ラディカルな選択」をめぐって「はい、お願いします！」が二項対立の両方を拒否することになるのか、その両方を肯定するのかは、個々の場面によって異なる。いずれにせよ、ジジェクが「ラディカルな選択」を通じて遂行しているのは、選択の両項が表面的に示している対立をより深い観点で再分節化しようとすることである。このことは、二〇二二年二月にはじまったロシアのウクライナ侵攻に対するジジェクの分析のうちによく表れている。

ジジェクはロシアによるウクライナ侵攻の開始以来いくつかの文章を公表しているが、この「ラディカルな選択」を巡って興味深いのは、二〇二二年四月十八日に公表された「何ものも代表していない世界における戦争」[2]という文章である。この文章の意義は、ロシアのウクライナ侵攻とそれに対するEU諸国の反応を、権威主義国家（ロシア）とリベラル民主主義（アメリカ、EU）との間の対立とみる一般に広く受け入れられている見方に代えて、この対立を、ロシアによる侵攻を経済的に可能にする、「オリガルヒ」と呼ばれるロシアの新興財閥の存在をもとに捉え返そうとしている点にある。このことによって、「ルンペン・ブルジョアジー」という利潤の追求だけを原理とするグローバル資本主義のアクターを焦点化することで、むしろ権威・専制主義かリベラル民主主義かという表面的な対立の背後にある布

2. https://www.project-syndicate.org/commentary/russia-ukraine-war-highlights-truths-about-global-capitalism-by-slavoj-zizek-2022-04（最終アクセス：二〇二二年四月二五日）

置に注意が向けられているのである。

以上で見たように、「分断された天」概念を通じた超越的審級の無効化と「ラディカルな選択」概念を通じた表面的な対立の背後にある高次の対立構造の再分節化に基づくジジェクの分析は、本書で展開されている二〇二一年までの世界情勢の分析にとどまらず、今日の世界についての言説を批判的に捉え返すための重要な武器である。本書が読者を新しい思考へと駆り立てることを願うものである。

二〇二二年四月二五日
監修者

分断された天　スラヴォイ・ジジェク社会評論集

2022年7月22日　初版印刷
2022年7月22日　初版発行

著者　スラヴォイ・ジジェク
監修　岡崎龍
翻訳　中林敦子

編集　大久保潤（Pヴァイン）
装丁　北村卓也

発行者　水谷聡男
発行所　株式会社Pヴァイン
〒150-0031
東京都渋谷区桜丘町21-2 池田ビル2F
編集部：TEL 03-5784-1256
営業部（レコード店）：
TEL　03-5784-1250
FAX　03-5784-1251
http://p-vine.jp
ele-king
http://ele-king.net/

発売元　日販アイ・ピー・エス株式会社
〒113-0034
東京都文京区湯島1-3-4
TEL　03-5802-1859
FAX　03-5802-1891

印刷・製本　シナノ印刷株式会社

ISBN　978-4-910511-20-7